Tristan Frankham 2-F 2013-14

# LA REINE DES PIRATES

Titre original :

*Sjøroverdronningen*


87, quai Panhard-et-Levassor – 75647 Paris Cedex 13
ISBN : 978-2-0812-6250-8

THORE HANSEN

# LA REINE DES PIRATES

*Traduit du norvégien par*
*Ellen Huse-Foucher*

Flammarion Jeunesse

# CHAPITRE 1

Je m'appelle Victor.

J'écris ceci à l'âge adulte, maintenant que je sais qui étaient vraiment mes parents et quelle était leur vie. Il m'a fallu bien des années pour le découvrir, car ils avaient pris grand soin de dissimuler les traces de leur passé.

Nous sommes en l'an de grâce 1738 et, tandis que j'écris ces lignes, je revois la petite cabane où j'ai grandi, au bord d'une plage, très loin de tout, dans les Caraïbes, sur l'île d'Hispaniola...

Mon univers à cette époque se réduisait à mon père, moi et la vieille Indienne Mazha qui s'occupait de nous. Elle était muette : on lui avait coupé la langue.

— Pourquoi est-ce qu'ils ont fait ça ? avais-je demandé un jour à mon père.

— Je ne sais pas. Elle parlait peut-être trop, ou bien on a voulu s'assurer qu'elle ne trahirait pas de secret. Les hommes sont comme ça, capables du pire...

C'est auprès de Mazha que je passais le plus clair de mon temps et je me souviens de ses doigts agiles qui bougeaient à la vitesse de l'éclair quand elle voulait me raconter quelque chose. Auprès d'elle aussi que je trouvais réconfort et tendresse. Quand je me réveillais en pleurant après un cauchemar, elle était toujours là. Elle me caressait alors doucement les cheveux ou me racontait des histoires muettes avec ses mains. Elle était comme une mère pour moi, sans l'être vraiment. Ma mère, j'en avais très peu de souvenirs : une ombre floue et des yeux très noirs. Comme elle me manquait pourtant ! Et ce manque ne cessait de me faire mal malgré la croûte qui couvrait la plaie. Il ne se passait pas un jour sans que je pense à elle.

Je demandais souvent à mon père des explications à son sujet, je voulais qu'il me dise où elle était, mais il n'était pas facile de le faire parler. Sa réponse était invariable : « Plus tard, Victor, quand tu seras en âge de comprendre. » Même en insistant je n'obtenais jamais d'autre réponse. Mon père était un homme taciturne, un peu farouche même, et il pouvait se passer plusieurs jours sans qu'il dise autre chose que l'indispensable.

Chaque fois qu'une embarcation approchait de notre plage, ou quand nous entendions des voix au loin dans la jungle derrière la cabane, il nous ordonnait, à Mazha et à moi, de nous cacher.

— Pourquoi est-ce qu'il faut se cacher ? Quelqu'un nous veut du mal ?

— On ne sait jamais, répondait-il d'un ton bourru, marquant ainsi son refus d'en dire davantage.

En quelques rares occasions, nous partions faire des provisions à la ville de la Perla qui se trouvait à un jour de mer au sud de notre cabane. En réalité, la ville n'était faite que de quelques cabanes et de hangars agglutinés autour d'un port naturel, mais c'est là que je voyais d'autres gens, là que je sentais des odeurs inconnues, là que j'entendais rire et bavarder. Je voyais des adultes et des enfants se parler et je suppose que c'est ainsi que j'ai compris que notre vie aurait pu être moins silencieuse ! Nous ne nous attardions jamais à la Perla. Mon père se dépêchait d'acheter ce qu'il nous fallait dans les échoppes délabrées, puis nous reprenions aussitôt la mer vers le nord – et vers le silence.

Quand je repense à mes premières années, il me semble que les seuls bruits qui m'entouraient alors étaient le bruissement du vent dans les palmiers et le choc des vagues qui se brisaient sur la plage : clapotis ou fracas – selon l'humeur de la mer...

Un soir pourtant, il s'est passé quelque chose d'inhabituel... Je devais avoir à peu près sept ans – le temps n'avait guère d'importance pour nous. Les jours se ressemblaient et se confondaient sur notre petite île. Mais ce soir-là n'a pas été comme les autres.

Mon père et moi rentrions d'une journée de pêche en mer. Entre les arbres nous apercevions la lueur de l'âtre de la cabane, et derrière les buissons, les troncs des palmiers et les ombres grises qui bientôt se transformeraient en nuit, le feu brillait comme un œil rouge. Dans la cabane nous voyions une silhouette se déplacer – c'était Mazha qui préparait le dîner.

Ensemble nous avons tiré la barque sur la plage pour la protéger des vagues et de la marée, puis nous avons pris le panier de poissons, chacun par une anse. Ce n'était pas une bien grosse pêche, mais elle suffirait pour nous nourrir pendant deux ou trois jours. Nous avions franchi la moitié de la plage quand la lune s'est libérée des nuages. C'est alors que mon père, qui s'était retourné pour scruter la mer, s'est brusquement figé et s'est mis à marmonner des bribes de phrases presque incompréhensibles.

En essayant de suivre son regard, je n'ai rien vu d'autre que la mer qui scintillait sous les rayons de la lune.

— Qu'est-ce qu'il y a, papa ?

La peur m'avait saisi entre ses serres car je n'avais jamais vu mon père dans cet état. Il n'a pas répondu, cloué sur place et fixant intensément la mer, immobile, les bras ballants.

J'ai crié : « Papa ! » en le tirant par sa chemise.

Il a chuchoté : « Victoria... » sur un ton doux et étonné à la fois.

Au même moment, la lune s'est cachée derrière les nuages et j'ai entendu sa respiration forte et saccadée à travers le mugissement des vagues.

— Tu l'as vu ? m'a-t-il alors demandé, les yeux écarquillés.

— Vu quoi ?

— Le navire ! C'était *El Hacon*. Je l'ai vu là-bas, il était même si près que j'ai aperçu le pavillon aux tibias croisés...

— Non, je n'ai rien vu, que la lune étincelante sur la mer !

Il m'a regardé longuement, puis il a secoué la tête comme pour se débarrasser de quelque chose.

— Tu as raison, petit, c'était sans doute une vision, la journée a été longue.

— Qu'est-ce que c'est que ce navire que tu as appelé *El Hacon* ? Et qui est Victoria ?

— Oublie ça, ce n'est rien, m'a-t-il répondu. Il l'a dit de ce ton que je ne connaissais que trop bien. Le ton qui dressait un mur entre nous. Je savais, qu'il ne servirait à rien de poser d'autres questions.

Sans un mot, nous sommes montés rejoindre Mazha dans la cabane.

# CHAPITRE 2

Comme à l'habitude, nous avons dîné en silence. Au menu : poisson frais et légumes du jardinet que Mazha cultivait derrière la cabane. À la fin du repas, mon père a sorti une cruche de rhum, et je me suis dit qu'après tout il m'expliquerait peut-être ce qui s'était passé : lorsqu'il lui arrivait de vider quelques verres, il s'animait davantage et devenait un peu plus bavard.

Le vent avait forci, il mugissait maintenant dans les cimes des palmiers et les lames déferlaient sur la grève. Au cours du repas, j'étais même descendu voir si le bateau ne courait pas de risque, mais heureusement il était à bonne distance des vagues moutonnantes.

Mazha était partie se coucher. Elle nous avait regardés, un semblant de sourire sur son visage tanné et ridé, avant de sortir dans la nuit ventée.

Elle dormait dans un petit appentis derrière la cabane.

Mon père restait muet. Tétant sa pipe de terre cuite, il laissait comme d'habitude ses pensées divaguer. Ses yeux brillants, son regard lointain le rendaient plus jeune et plus beau, et j'ai cru deviner à quoi devait ressembler son visage avant qu'il ne soit buriné par le soleil et marqué par les années.

« Prends encore un verre », ai-je pensé en moi-même, non sans espoir.

Le rhum brun et douceâtre entrebâillait parfois la porte derrière laquelle étaient enfermés ses mots. Alors, il me parlait du pays d'où il était venu, un pays très loin au nord, de l'autre côté du monde. Un pays de froid et de pluie où la visite du soleil était toujours la bienvenue... Un pays où la faim menaçait continuellement, une faim qui vous rongeait sans répit !

Dans ce pays-là il n'était pas facile d'être pauvre, se plaisait-il à répéter, comme s'il avait encore besoin d'une excuse pour ne plus y habiter.

Il avait raconté les mois et les années passés à bord des bateaux, et il avait parlé de ports dont je ne me rappelle plus les noms. Il avait raconté le travail harassant, le cafard, et les volées de coups reçues d'hommes aussi malheureux que lui, mais seulement plus forts et plus endurcis.

— Si j'ai tenu le coup, c'est uniquement parce que j'ai pu manger tous les jours à ma faim, avait-il avoué une fois, ce qui chez moi, dans mon pays, n'était pas le cas.

Heureusement un jour il avait rencontré Odd – qui lui aussi venait d'un pays du nord et qui était un peu plus vieux que mon père. C'était un véritable colosse dont personne n'osait s'approcher. Même le capitaine le plus hargneux se calmait lorsque Odd le toisait. Il naviguait comme charpentier et il avait pris mon père sous sa protection, un peu comme un fils. D'ailleurs il lui avait enseigné son métier.

— Je devais avoir un don pour ça, disait parfois mon père.

Il est sûr que ses mains se plaisaient à façonner le bois et à manier les outils. Au travail il semblait presque joyeux et, dans ces moments-là, il oubliait le monde qui l'entourait.

Odd et mon père avaient navigué ensemble pendant plusieurs années. Débarquant d'un navire, embarquant sur un autre, mais dans chaque port voyant la cruauté et l'injustice du monde. Ils voyaient la vie des riches et celle des petites gens – qui étaient aussi pauvres en mourant qu'en naissant. Des gens comme eux...

— On est des esclaves même si on n'est pas marqués au fer rouge ! avait pesté Odd.

Petit à petit, ils avaient commencé à nourrir un rêve... Dans les ports et dans les tavernes où se réunissaient les marins, on parlait du Nouveau Monde, de l'Amérique... Le pays des opportunités où les pauvres pouvaient en travaillant accéder à la richesse et au bonheur.

— Voilà qu'un jour notre grande chance est arrivée, a commencé mon père.

Ce soir-là, le soir de la tempête, il a continué à me raconter son histoire en démarrant là où il l'avait laissée plusieurs mois auparavant.

Odd et lui avaient débarqué en Espagne, à Barcelone plus exactement : un navire était en partance pour l'Amérique... un navire qui avait besoin de charpentiers ! C'était un grand navire marchand à cinquante sabords[1] dont l'équipage comptait plus de deux cent cinquante hommes. En fait, la moitié des hommes étaient des soldats – signe évident que le navire devait transporter des marchandises de grande valeur... Ils avaient eu la chance d'être engagés comme charpentiers, et un matin de 1699 ils avaient quitté le port de Barcelone.

— Je m'en souviens encore... On était accoudés au bastingage à regarder la terre s'éloigner. Et on a fixé les contours brumeux de la côte jusqu'à ce

1. Ouverture sur les navires de guerre par où sortent les bouches des canons.

qu'ils disparaissent. « Hé, Odd, tu crois qu'un jour nous retournerons en Europe ? » « J'espère bien que non ! Il n'y a pas grand-chose ici qui va me manquer ! » On avait largué les amarres pour Puerto Cavello dans les Caraïbes. On a navigué pendant des semaines entières sans voir autre chose que la mer et le ciel. Les rares fois où on apercevait un autre bâtiment au loin, tout le monde à bord s'affairait. Les soldats couraient aux canons et tous les marins empoignaient une arme... Odd et moi avons vite compris que l'équipage craignait les pirates, mais nous, ça ne nous a pas beaucoup effrayés.

— Comment ça ? ai-je voulu savoir.

Mon père a eu un haussement d'épaules un peu désabusé et a pris une autre gorgée de rhum avant de répondre :

— On ne savait pas trop ce que pouvait représenter une attaque de pirates, par manque d'expérience sans doute, et aussi par naïveté. On ne pouvait pas imaginer la cruauté et le carnage dont ils étaient capables. Il faut dire qu'en général on restait tous les deux à part, on ne parlait pas beaucoup avec le reste de l'équipage, sauf pour recevoir les ordres. D'ailleurs on était très occupés, sur un navire de cette taille, les tâches ne manquent jamais.

Mon père a bourré sa pipe et l'a allumée, immédiatement enveloppé d'un nuage qui flottait comme du brouillard au-dessus de la table.

— Un matin, au point du jour, pendant que la plupart d'entre nous – sauf les gardes – somnolaient encore dans les hamacs, des cris d'oiseaux nous ont réveillés, a-t-il continué.

« À grandes enjambées on est montés sur le pont. Les yeux encore engourdis de sommeil, on a regardé la mer et le soleil qui se levait. Des oiseaux tournoyaient en piaillant autour des mâts. Odd m'a demandé si je sentais l'odeur de la terre. Et en effet, on percevait une odeur douceâtre mêlée à celles du sel de la mer et du bois du navire. On aurait dit une odeur d'épices... J'ai demandé si on allait bientôt arriver, et Odd m'a répondu : « Encore quelques jours mon gars, mais on approche ! »

« Ce matin-là, on est restés longtemps accoudés au bastingage à regarder la mer qui scintillait au soleil. On pensait sans doute à la même chose : à l'avenir et à tout ce qui nous attendait dans ce monde inconnu, dans ce monde nouveau où tout allait être tellement merveilleux.

« Il a encore fallu deux jours de mer avant d'apercevoir la terre. On distinguait souvent des voiles au loin et à chaque fois on renforçait la surveillance à bord. Les marins murmuraient à voix basse qu'on entrait dans des eaux dangereuses et que les pirates pouvaient surgir là où on les attendait le moins...

« Bien entendu, il y avait toujours quelqu'un à bord pour raconter des histoires effroyables sur la façon dont les pirates agissaient. Ils guettaient les navires marchands et attaquaient avec une brutalité déchaînée ; pas une vie n'était épargnée, disait-on, car les morts, ça ne peut pas témoigner !

— C'est vrai ? ai-je demandé à mon père. Ils sont vraiment aussi cruels ?

Quelquefois, quand nous étions à la ville, j'avais croisé des hommes que la rumeur présentait comme des pirates, mais moi je ne les trouvais pas très différents des autres.

— Oui et non, a-t-il répondu en remplissant encore une fois sa timbale.

En sirotant son rhum son regard s'est à nouveau fait absent, comme s'il revoyait un passé lointain.

— Un soir, a-t-il poursuivi, on a aperçu à l'horizon la côte de Tortuga, l'île de la Tortue, comme un trait de brume bleue à bâbord. La nuit est tombée juste après, une nuit sans vent sous un magnifique ciel étoilé. Les voiles pendouillaient aux gréements et le navire n'avançait pas. À la lueur des torches et des lanternes, scrutant la mer noire, les gardes vigilants étaient aux aguets. À bord, l'atmosphère était tendue...

« Odd et moi étions encore une fois accoudés au bastingage, comme d'habitude le soir avant de rejoindre nos hamacs accrochés sous le pont. La mer clapotait le long du navire : tout était calme – le contraste avec la tension qui régnait à bord était saisissant.

« Et c'est à ce moment-là que c'est arrivé. Brusquement et sans aucun signe avant-coureur. Quelque chose a heurté le pont, puis on a vu dans la nuit noire surgir des crochets de fer attachés à des cordes. Les crochets se sont plantés dans le pont et des silhouettes obscures ont envahi le pont. Beaucoup de silhouettes qui avançaient sans bruit, armées de pistolets, de haches et de sabres...

« "Les pirates !" Le cri d'alerte a déchiré le silence avant même les coups de trompette stridents.

« Mais ce bruit a été rapidement couvert par les hurlements des pirates, les détonations des pistolets et le chuintement des sabres d'abordage qui fendaient l'air. Les assaillants ont envahi le navire en abattant tous les hommes sur leur passage. La fumée de la poudre planait déjà comme du brouillard sur le pont au moment où soldats et marins, chassés de leurs couchettes, se sont lancés dans une lutte désespérée contre les pirates. Ils luttaient pour leur vie, mais très rapidement ils se sont effondrés dans une mare de sang. Personne ne pouvait résister à une telle sauvagerie...

Mon père et Odd s'étaient cachés derrière des cordages. Ni l'un ni l'autre ne se sentait obligé de participer au combat. Pourtant, ils ne pouvaient pas rester indifférents au massacre qui se déroulait sous leurs yeux.

Mon père – il s'en souvenait bien – avait tendu le bras sans trop réfléchir pour attraper le sabre d'un soldat mort, quand Odd l'avait retenu.

— Ne bouge surtout pas, avait-il marmonné entre les dents. Tu n'as aucune chance !

Mon père l'avait regardé sans comprendre. Il n'avait qu'une idée : se battre pour rester en vie.

— Mais tu n'as jamais manié un sabre de ta vie ! avait presque crié Odd en le secouant. Utilise ta tête, bon sang !

Mon père avait voulu se libérer d'Odd cramponné à sa chemise ; c'est à cet instant qu'Odd l'avait frappé. Il lui avait assené un violent coup de poing au menton et la vue de mon père s'était brouillée. À moitié assommé, il avait vu l'immense silhouette de son ami bondir sur le pirate le plus proche – et l'abattre. Il avait fait de même avec le suivant, se frayant un chemin comme un bateau fend la mer dans une tempête.

Puis d'un coup il s'était figé... essayant de se tourner vers mon père une dernière fois, mais il n'avait pas pu achever son geste, il était tombé à genoux et s'était écroulé, la tête en avant. Au même moment, mon père avait perdu connaissance, comme si un dieu miséricordieux avait voulu lui épargner la vue de toutes ces atrocités.

À ce point de son histoire, mon père s'est tu à nouveau, les doigts crispés sur la timbale et le dos encore plus voûté que d'habitude.

Je l'ai regardé, d'un air interrogateur :

— Odd, est-ce qu'il est mort ?

— Oui, il est mort. Juste avant d'atteindre le rêve que nous avions partagé depuis si longtemps.

Ce soir-là, mon père ne m'en a pas dit davantage, et plus jamais nous n'avons pu passer de soirée comme celle-là.

# Chapitre 3

Les jours suivants, il est resté encore plus muet et taciturne que d'habitude, passant le plus clair de son temps sur la plage, à regarder la mer comme s'il refusait d'admettre que le navire qu'il avait vu n'existait que dans son imagination.

C'est à cette époque-là que Mazha a brusquement disparu. Un matin, elle est partie dans la forêt derrière la cabane cueillir des fruits et des plantes, et elle n'est jamais revenue. Nous ne nous sommes pas inquiétés avant le déclin du jour, mais alors mon père a mâchonné quelques mots dans sa langue natale, puis il a sorti un pistolet et nous sommes partis à sa recherche. Nous avons cherché et appelé jusqu'à ce que la nuit tombe et nous avons recommencé le lendemain – sans trouver la moindre trace.

— Elle n'a tout de même pas pu nous quitter comme ça ? Sans prévenir ? me suis-je exclamé.

Mon père a secoué la tête et dit d'un ton ferme et affirmatif :

— Non, bien sûr ! Et pour aller où, d'ailleurs ? Elle a passé tant d'années avec nous, jamais elle ne ferait une chose pareille. Il a dû lui arriver quelque chose.

— Tu veux dire qu'elle est morte ?

— C'est probable. C'est une très vieille femme, tu sais ; elle est beaucoup plus âgée que moi. Si elle est morte ou blessée quelque part dans la forêt, nous aurons beaucoup de mal à la retrouver. Peut-être qu'elle s'est cachée volontairement. Il arrive que les vieux Indiens cherchent un endroit isolé quand ils sentent la mort approcher. Ils veulent être seuls pour leur dernier voyage.

J'avais du mal à le croire. Je ne voulais pas y croire.

Plusieurs jours se sont écoulés avant que je n'abandonne tout espoir et que j'accepte l'idée que mon père devait avoir raison. Ça ne m'a pas empêché de continuer à parcourir la forêt en l'appelant. Mais c'était évidemment peine perdue, puisqu'elle était muette ! Même si elle m'avait entendu, elle n'aurait pas pu me répondre...

Pourtant à chaque instant je m'attendais à la voir apparaître entre les troncs des arbres. Ce petit bout de femme au visage tanné m'avait servi de mère. Elle m'avait donné amour et réconfort au moment où j'en avais eu le plus besoin !

Et ce n'était que le premier de tous les événements douloureux qui m'attendaient...

Quelques semaines après la disparition de Mazha, c'est mon père qui est tombé malade. Un matin, je l'ai trouvé couché dans son lit, brûlant de fièvre. Il marmonnait des mots que je ne comprenais pas et me regardait les yeux brillants, le regard perdu. Je l'avais déjà vu ainsi, mais Mazha était là et elle avait alors concocté avec ses plantes une tisane pour chasser le mal.

— Odd ! criait-il en tendant les bras vers moi. Je veux vivre ! Je choisis la vie ! a-t-il continué.

Il parlait vite, comme en transe et comme s'il revivait le passé.

— Odd... est parti vers le fond...

Puis il s'est tu un moment et, quand il a recommencé à parler, c'était dans cette langue que je ne comprenais pas, sa langue maternelle...

Je lui tenais tout le temps la main en essayant de le calmer, mais il n'arrêtait pas de s'agiter.

— La lagune... la Casa...

Puis il s'est tu à nouveau avant de dire à voix basse :

— Victoria !

— Qu'est-ce qu'il faut faire, papa ?

J'avais peur. Je sentais confusément que les quelques repères que j'avais pour m'orienter dans la vie, pour me donner un peu de sécurité, étaient en train de disparaître.

Il ne m'a pas répondu : sans doute ne m'avait-il même pas entendu.

Le deuxième soir, il s'était remis suffisamment pour me reconnaître.

— Va à la Perla chercher de l'aide, m'a-t-il chuchoté d'une voix à peine audible. Parle avec les moines du couvent, ils peuvent peut-être nous aider.

J'ai hoché la tête vivement et j'étais déjà presque parti quand il m'a retenu d'une main sans force.

— Victor, emporte avec toi le petit sac de pièces d'or au cas où ils hésiteraient. Ça pourra t'aider, même avec les moines.

J'ai hoché la tête encore une fois.

— Une dernière chose. Si les choses tournent mal pour moi et que tu restes seul au monde, je veux être sûr que tu saches où est caché le trésor.

— Ne t'inquiète pas, je me souviens.

Une fois, bien longtemps auparavant, après avoir surmonté une attaque semblable, il m'avait emmené dans la forêt derrière la cabane. Là, dissimulée sous un fourré touffu, il y avait une entaille dans le rocher, juste assez large pour qu'un homme adulte puisse y pénétrer. À l'intérieur se trouvait un coffre rempli à ras bord de bijoux et de pièces d'or. Mon père m'avait fait jurer de n'en parler à personne, même pas à ceux que je considérais comme des amis. Je lui avais bien sûr demandé d'où venait ce trésor, mais, fidèle à son habitude, il ne m'avait pas répondu.

— Plus tard, quand tu auras grandi. Ce trésor est ta garantie dans la vie si les choses tournent mal, mais fais attention ! Personne ne doit savoir à quel point tu es riche. Le monde extérieur est assoiffé d'or !

J'ai couru vers la plage et j'ai mis le bateau à l'eau. Après avoir hissé les voiles, j'ai mis le cap au sud, vers la Perla. Malgré mon jeune âge, je n'avais aucun mal à manœuvrer. Avec mon père, nous sortions en mer presque tous les jours. En fin de journée, je suis arrivé à la Perla et j'ai couru sur le sentier abrupt qui montait au couvent, sans même prendre le temps de répondre aux gens qui m'interpellaient. Ils avaient sans doute compris qu'il se passait quelque chose en me voyant si pressé, et sans mon père.

Le couvent, composé de bâtiments bas abrités derrière de hauts murs, se trouvait sur une hauteur à quelques centaines de mètres au-dessus du port. Au portail, un homme m'attendait. Grand et maigre, il était vêtu de la robe grise des moines.

Patiemment, il a attendu que je reprenne mon souffle, puis je lui ai expliqué pourquoi j'étais venu. Je n'ai pas eu besoin de le tenter avec les pièces d'or, il a tout de suite hoché la tête et m'a dit de l'attendre là. Peu de temps après il est ressorti, un sac de cuir sur l'épaule. Sans parler davantage, nous avons rejoint mon bateau dans le port.

Plus tard, j'ai appris qu'il s'appelait frère Frantz et qu'il appartenait à l'ordre des Franciscains. Il était né en Espagne, mais avait passé la majeure partie de sa vie dans ce petit couvent à la Perla, un lieu isolé et presque oublié du reste du monde.

Nous avons navigué toute la nuit. Frère Frantz était assis à la proue, le dos vers moi et il a peu parlé. Il a surtout scruté le rivage boisé côté bâbord. Je ne le voyais que comme une silhouette noire contre le ciel nocturne. Une ou deux fois nous avons aperçu des lumières, des points lumineux qui vacillaient. Ils provenaient sans doute de foyers ou de feux de camp, espacés de plusieurs heures de navigation. Peu de gens habitaient la région, même pas les Indiens qui s'étaient pourtant installés dans le pays bien avant que les Européens ne l'occupent.

C'est au moment où le soleil se levait sur une nouvelle journée que nous avons atteint la plage.

J'ai couru devant jusqu'à la cabane, tout heureux d'arriver avec de l'aide, mais ma joie a été de courte durée... Mon père était mort.

Au début je ne l'ai pas compris. Il semblait dormir, le visage calme et apaisé.

Je n'ai pas pleuré, du moins pas à ce moment-là...

Nous avons enterré mon père près de la cabane, là où la terre rougeâtre était meuble et profonde.

— Comment s'appelait ton père ? a demandé frère Frantz.

— Jon, ai-je répondu, réalisant tout d'un coup que c'était une des premières fois que je prononçais son nom. Jon Thorson. Il venait d'un pays lointain, au nord du globe... la Norvège.

Le moine a hoché la tête et a fait un signe de croix avant de prononcer quelques mots sur sa tombe. Comme il les a dits en latin je n'ai pas compris, mais je suis sûr que mon père aurait apprécié.

— Que comptes-tu faire maintenant ? m'a demandé frère Frantz un peu plus tard.

— Je ne sais pas.

— As-tu de la famille, ou quelqu'un d'autre que tu peux rejoindre ?

— Non...

— Tu ne peux pas rester seul ici. Tu n'es encore qu'un enfant.

Je n'ai pas répondu. La question de ce que j'allais devenir sans mon père ne m'avait jamais effleuré.

— Tu vas venir avec moi au couvent, ensuite nous aviserons.

J'ai fait un baluchon de mes vêtements, au milieu duquel j'ai caché le petit sac aux pièces d'or. Je me suis souvenu de ce que mon père m'avait dit au sujet du trésor dans l'entaille rocheuse : n'en parler à personne. Même pas à un moine, me suis-je répété.

C'est ainsi qu'avec Frantz j'ai quitté notre cabane pour la Perla.

C'est la première nuit que les larmes sont venues, dans l'étroite petite cellule du couvent. Pas de sanglots violents, mais de longs pleurs, et avec les larmes sont venues les pensées... J'étais donc tout seul au monde maintenant. Même si mon père avait été peu bavard, j'avais tout de même eu sa présence. J'avais senti son regard posé sur moi. Des yeux qui me voulaient du bien, des yeux qui me protégeaient. Pour la tendresse et les câlins, par contre, ça avait été l'affaire de Mazha... Et dire que maintenant ils avaient disparu tous les deux ! Il ne me restait que ma mère. Elle devait bien se trouver quelque part dans ce vaste monde... si elle était toujours en vie. Mais même si c'était le cas, il n'était pas sûr qu'elle se souvienne de moi...

C'est au couvent que, pour la première fois, j'ai vu mon image dans un miroir. En découvrant mon reflet sur la surface lisse, j'ai reconnu les traits de mon père dans les miens. Ce même visage étroit, avec une grande bouche et des cheveux nettement plus clairs que la plupart des gens d'ici. Mais mes yeux n'étaient pas comme les siens couleur d'un ciel d'été sans nuages. Les miens étaient sombres comme du bois d'acajou, comme ceux de ma mère. C'était là mon seul souvenir d'elle. Ses yeux, qui me suivaient tout le temps, qui ne voulaient pas me lâcher...

C'est là, dans ce couvent, que j'allais passer de nombreuses années.

Frère Frantz est devenu un vrai ami : je pouvais lui poser toutes sortes de questions, il y répondait presque toujours. Je pense qu'il appréciait d'avoir à ses côtés un jeune garçon comme moi. Même s'il l'avait choisie, il devait parfois trouver dure la vie stricte du couvent, loin de sa famille.

Il nous arrivait souvent de passer la soirée à bavarder dans la bibliothèque du couvent.

Nous parlions parfois des pirates, sujet sur lequel je voulais en savoir le plus possible, et il s'y connaissait. Il avait tant de choses à raconter sur eux que je l'ai très vite soupçonné d'avoir été pirate lui aussi, même s'il ne le disait pas clairement.

— On les appelle souvent les boucaniers, m'avait-il dit un jour. Ce nom a toute une histoire et explique en partie pourquoi certains de ces hommes ont choisi cette profession sanguinaire.

« La plupart d'entre eux étaient des marins tout à fait ordinaires, a expliqué frère Frantz, originaires

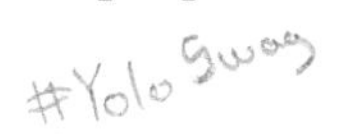

de tous les coins du monde, des hommes qui s'étaient enfuis de leur navire ou bien qui s'étaient mutinés parce qu'ils ne supportaient plus la discipline de fer qui régnait à bord. Ils en avaient assez des coups, des brimades et des châtiments qui pouvaient aller jusqu'à la peine de mort ! Beaucoup de ces marins se sont alors installés dans les Caraïbes où ils se sont mis à chasser, à cultiver la terre – comme des hommes libres ! Ils goûtaient à la liberté pour la première fois de leur existence. Pour conserver la viande après la chasse, ils ont adopté la technique du fumage à l'indienne : ils la coupaient en lanières qu'ils suspendaient au-dessus d'un petit feu étouffé qui produisait plus de fumée que de flammes. Ça donnait bon goût à la viande et c'était excellent pour la conservation. Ils vendaient ensuite leur viande comme provisions aux navires – ce qui leur rapportait bien ! Les Indiens appellent cette façon de préparer la viande *buccan* – d'où le nom de "boucaniers" donné à ces chasseurs.

« Malheureusement, les Espagnols, mes compatriotes, se sont intéressés à ce paisible commerce. Croyant leurs intérêts menacés, ils ont vite réagi ! Ils ont commencé à empêcher les chasseurs de vendre des vivres – et de manière pas toujours très légale ! La convoitise, mon garçon, suit ses propres lois. Cette agression a suscité de la haine chez les boucaniers qui n'aspiraient qu'à mener une vie sans contraintes ni comptes à rendre à de quelconques autorités. L'attitude espagnole les a poussés à la flibuste[1] et ils sont devenus aussi sanguinaires que leurs ennemis. Ils ont toujours préféré mourir le sabre à la main dans une lutte au corps à corps plutôt que pendus à la potence – sentence habituellement réservée aux pirates. Les boucaniers étaient si nombreux que, dans certains endroits isolés des Caraïbes, ils avaient même créé de véritables petits villages.

— Tu es déjà allé dans un village comme ça ?

— Peut-être bien, a répondu frère Frantz, sans plus de précision.

Je me suis dit que ce frère-là n'avait sûrement pas toujours été un paisible moine – mais ce n'est que quelques années plus tard que j'en sus davantage...

En attendant, les autres moines eux aussi s'occupaient de moi. Ils me témoignaient beaucoup d'affection et m'ont aidé de bien des façons au début de mon séjour au couvent.

Pour moi, le plus grand changement était le fait qu'on me parle ! Ce n'est qu'à ce moment-là que j'ai compris à quel point les mots m'avaient manqué, à

1. *Flibuste ou flibustier :* nom donné aux aventuriers qui attaquaient les navires dans le golfe du Mexique.

moi qui avais grandi parmi des gens silencieux – Mazha qui était muette et mon père qui ne parlait que quand le rhum lui déliait la langue. Mais les moines ne se sont pas contentés de me parler, ils m'ont aussi appris à lire et à écrire – c'est surtout le frère Michael qui m'a initié à ces arts-là.

C'était le plus âgé des moines, trop vieux pour se rendre utile dans les champs du couvent où on cultivait la majeure partie des fruits et des légumes nécessaires à la communauté. Tous les jours je devais passer quelques heures avec lui – c'était convenu ainsi et c'était impossible d'y échapper ! Chaque fois que j'essayais de me cacher, frère Michael me retrouvait. À dire vrai, je n'essayais pas très souvent, car j'aimais bien ces heures passées penché sur des livres. Ils m'ont ouvert la porte de mondes inconnus. Les livres étaient très nombreux au couvent, et grâce à eux, j'ai appris comment vivaient les gens à différentes époques, à quoi ils pensaient et quels étaient leurs rêves.

— Il existe beaucoup, beaucoup plus de livres que ceux que tu vois ici, a dit frère Michael. Impossible pour un seul homme de les lire tous dans son existence.

— Comment se fait-il que ces livres ne disent pas toujours la même chose ? ai-je demandé. Le même événement n'y est pas décrit de la même façon ?

— En effet, a-t-il répondu en souriant, c'est parce que nous les hommes, nous sommes tous différents et que nous voyons le monde avec des regards différents. Seul un livre dit la vérité...

Là-dessus, il sortait la Bible qui, selon lui, contenait les paroles de Dieu lui-même. Je ne le contredisais jamais, même si j'avais lu des livres sur d'autres dieux et même si je savais que les paroles de la Bible n'étaient pas comprises de la même façon partout dans le monde !

Le reste de mon temps, j'essayais de le passer en compagnie de Frantz. Nous nous retrouvions souvent le soir, avant l'office, après une longue journée de travail. Assis côte à côte, nous contemplions la Perla en contrebas, ou bien nous regardions la mer où miroitaient les reflets d'un ciel empourpré. À nos pieds, les lanternes s'allumaient au village, nous voyions les bêtes rentrer aux enclos, et des voix lointaines nous parvenaient de la taverne – des voix qui devenaient de plus en plus fortes et animées au cours de la nuit !

Frantz me parlait alors de son enfance dans la lointaine Espagne, de ses parents et de ses frères et sœurs. Il me racontait la vie qu'il avait vécue, et il partageait avec moi ses espoirs, sa foi, ses doutes et ses rêves ! En fait, il me parlait comme j'aurais aimé que mon père me parle ! Il évoquait souvent un village secret près d'une lagune où habitaient des pirates. Il le décrivait dans ses moindres détails : les petites maisons groupées autour d'une longue taverne sans murs. Il lui arrivait aussi de parler d'un pirate en particulier, un certain Little Joe.

— Est-ce que tu l'as rencontré ?

Frantz a hoché la tête.

— En effet, dans ma jeunesse, avant d'arriver ici au couvent, j'ai croisé des gens de toutes sortes.

Mais il n'en a pas dit davantage et, changeant de sujet, il s'est mis à évoquer tous les rêves qu'on nourrit quand on est jeune.

— Et toi, Victor, à quoi rêves-tu ?

C'était une question rituelle qu'il me posait souvent, mais j'ai mis du temps avant de trouver les mots pour m'exprimer. Je lui ai alors parlé de la vieille Indienne Mazha qui me manquait tant et de mon père, et du peu qu'il m'avait raconté sur son enfance et sur sa vie de marin, de son histoire qui s'était arrêtée avec l'attaque des pirates, et de la frustration que j'éprouvais de ne rien savoir de la suite et d'ignorer toujours pourquoi il avait décidé d'habiter dans notre petite cabane loin du monde.

— Que sais-tu de ta mère ? a demandé frère Frantz.

— Mon père n'en parlait jamais. Il n'est jamais arrivé là dans son récit. Il me répétait toujours qu'il fallait attendre le bon moment pour que je sois en âge de comprendre.

— Ta mère est peut-être morte ?

— Peut-être, mais quelque chose me dit que non. J'ai toujours eu l'impression que mon père l'attendait, qu'il guettait son retour.

— Et toi aussi tu l'attends, n'est-ce pas ?

Frère Frantz avait dit ça à voix très basse, comme pour ne pas pénétrer dans mon jardin secret.

— Oui, lui ai-je répondu.

— Alors tu es riche au moins d'un rêve, celui du retour de ta mère.

# Chapitre 4

L'année de mes douze ans, j'ai trouvé le livre qui allait bouleverser tant de choses dans mon existence et qui allait me donner une partie des explications que je désirais tant trouver.

Comme j'en avais l'habitude une ou deux fois par an, j'étais parti ce jour-là en bateau jusqu'à la cabane. Je ne sais pas vraiment pourquoi j'y allais, mais quelque chose m'y attirait, quelque chose qui ne me laissait pas en paix. J'avais l'impression qu'il fallait que je revoie encore une fois l'endroit où j'avais grandi. Ces retours entretenaient sans doute les souvenirs que je voulais à tout prix garder...

Les intempéries n'avaient pas épargné la petite cabane ! Le toit s'était effondré et la jungle avait envahi le potager de Mazha et avait même commencé à s'emparer de ce qui restait des poutres ! Une fois sur place, je suis aussi allé faire un tour dans la forêt, jusqu'à l'entaille dans le rocher où était dissimulé le coffre à trésor de. mon père. Il était intact – les ferrures étaient seulement un peu plus rouillées que la fois précédente. J'ai soulevé le couvercle et les pièces d'or m'ont presque ébloui malgré la faible lumière. J'y ai enfoncé les mains et laissé les pièces me couler entre les doigts en pensant à toutes les histoires que m'avaient racontées Frantz et Michael. J'ai songé au pouvoir de ces pièces en métal jaune, à tous les gens qui étaient morts les uns pour s'en emparer, les autres pour ne pas les perdre.

— L'or est rarement une bénédiction, avait dit une fois frère Frantz. Et aussi longtemps que régneront la pauvreté et la convoitise, l'or gardera son pouvoir diabolique.

À ce moment-là, j'avais été tenté de lui révéler l'existence du trésor, mais je m'étais retenu en pensant que même des moines pieux risquaient de se laisser griser par l'appât de l'or !

C'est alors que tout à coup mes doigts ont touché quelque chose qui n'était ni or ni bijoux. Au début je n'ai pas bien compris ce que c'était, pourtant je sentais l'espoir jaillir en moi... J'avais mis la main sur un livre relié de cuir rouge...

Prenant mille précautions je l'ai ouvert, sentant mon cœur battre plus fort que d'habitude, comme si je savais déjà ce que le livre allait me raconter !

Les mots étaient soigneusement tracés à la plume, à l'encre bleue. La page de garde portait cette inscription :

*Ce livre appartient à*
*Victoria Reed.*

« Victoria... » C'était là le nom prononcé par mon père la nuit où il avait vu un navire. Le navire que lui seul avait aperçu. Un navire créé par l'espoir et l'attente.

Victoria...

Immédiatement, j'ai compris que c'était le nom de ma mère.

Un jour donc, il y avait longtemps, elle avait pris ce livre pour y inscrire ses pensées – et dire qu'à présent je le tenais entre mes mains !

Excité et troublé, j'ai emporté le livre en pleine lumière et je me suis installé sur le rocher où mon père avait l'habitude de s'asseoir pour scruter la mer, silencieux et inaccessible. Peut-être allais-je enfin trouver la réponse à toutes les questions que je m'étais posées et comprendre les raisons de cette absence qui me hantait.

Lentement, pour ne pas en perdre un seul mot, pour que rien de son sens ne m'échappe, je me suis mis à lire :

*« Pour Victor, mon fils,*

*Je t'écris ceci pour que tu saches que moi, ta mère, je penserai toujours à toi. Tu n'avais que trois ans lorsque je vous ai quittés, ton père et toi, et ça n'a pas été une décision facile ! Je ne suis même pas sûre de te revoir un jour ! C'est pourquoi il est si important que je t'écrive, pour que tu puisses comprendre les raisons de mon choix. Pourtant, je les comprends à peine moi-même, alors comment puis-je croire que tu vas comprendre ? Il faut pourtant que j'essaie et que je te raconte ma vie. La vie qui m'a faite telle que je suis aujourd'hui.*

*Je suis née en Angleterre, dans la ville de Londres. Mes parents s'appelaient Ruth et George Reed, et j'ai grandi dans une belle demeure aux abords de la ville. Mon père gagnait bien sa vie dans le négoce maritime et c'est avec beaucoup de joie que je me souviens de mes premières années. Comme j'étais leur enfant unique, j'ai reçu une très bonne éducation, même si j'étais une fille. D'une certaine façon on peut dire que j'ai été élevée comme un garçon – surtout par mon père. Il m'avait appris à monter à cheval – d'ailleurs j'en possédais un – et il avait même décidé que je devais connaître le maniement des armes, il disait que ça pouvait s'avérer utile. Mon père était un homme gai qui riait beaucoup et il nous emmenait souvent en voyage, maman et moi. Il nous montrait alors un univers beaucoup plus rude et sordide que celui de notre paisible maison londonienne. Je n'aurais jamais cru qu'un jour je connaîtrais moi aussi ce côté lugubre de la vie ! Je me suis cruellement trompée. Les malheurs sont arrivés sans crier gare. Mon père a perdu ses navires et avec eux toute sa fortune – en moins d'un an nous nous sommes retrouvés ruinés. Puis mon père est mort, laissant ma mère et moi totalement sans ressources. Il a fallu qu'on se débrouille comme on pouvait. Au début, la famille nous est venue en aide, surtout le frère de mon père, mais bien que fort riche, il n'était pas de nature très généreuse ! Ma mère est morte peu de temps après mon père – de chagrin je crois, incapable de supporter ce que la vie nous offrait dorénavant. Et c'est ainsi que je me suis retrouvée seule au monde.*

*Mon oncle m'a bien proposé d'habiter chez lui, mais en contrepartie j'aurais dû servir de domestique à sa famille ! Mon amour-propre était déjà grand et il m'était tout à fait impossible d'accepter ce statut humiliant de bonne, moi qui avais grandi entourée de serviteurs !*

*Pendant une année entière, j'ai essayé de me débrouiller seule à Londres après avoir vendu le peu de biens qui me restaient de mes parents. Je logeais dans de misérables taudis et gagnais quelques sous en travaillant sur le port. C'est là que j'ai compris l'utilité de me déguiser en garçon, car une fille avait peu de chances de garder son honneur sur les quais de Londres ! Même pour un garçon la vie n'était pas facile, car Londres, comme d'autres grandes villes, n'est pas tendre avec ses pauvres. C'est la dure leçon que j'ai apprise, et elle a forgé mon caractère. De tout cœur, Victor, j'espère que la vie t'épargnera de telles expériences !*

*Il fallait absolument que j'échappe à cette misère impitoyable et j'ai échafaudé un plan.*

*J'avais souvent accompagné mon père sur ses navires et j'aimais cette vie, même si la loi du plus fort régnait là encore. Tout en sachant que les femmes étaient bannies à bord, je me disais que la vie y serait de toute façon meilleure que dans les bas quartiers de Londres.*

*Déguisée en garçon, j'ai réussi à embarquer sur un navire sous le nom de Victor Reed. Personne n'a soupçonné que j'étais une fille et j'ai reçu ma part de coups et d'injures. J'ai mangé de la nourriture avariée en maudissant l'armateur et le capitaine avec autant de véhémence que les autres ! À cette époque, comme encore aujourd'hui, je rêvais d'être libre ! Je ne voulais pas obéir aux ordres, je voulais moi-même décider de mon sort. Mais je savais que la route vers la liberté serait longue et je n'étais pas sûre de l'atteindre.*

*Après quelques mois sur ce premier bateau, j'ai pu m'engager sur un navire de guerre, et là non plus personne n'a soupçonné que je n'étais pas celui que je prétendais. Il faut dire que les habits et la saleté font le marin !*

*C'est ainsi que je suis arrivée en Flandre où les Anglais se battaient contre les Français dans la guerre de Succession d'Espagne. Je suis devenue cadet dans un régiment à pied. Enfant, j'avais appris l'équitation et l'escrime – et maintenant j'avais l'occasion de me perfectionner dans l'art du combat grâce à d'excellents instructeurs. J'ai vite compris que c'était une question de vie ou de mort ! Heureusement, j'étais svelte, rapide et agile, et on admirait souvent mon courage et mon habileté. Pendant un moment j'ai rêvé de devenir officier, mais une telle formation coûtait beaucoup d'argent – et j'en étais toujours dépourvue. Comme un soldat ordinaire a peu de chances de devenir riche, j'ai dû abandonner ce projet...*

*J'ai participé comme mercenaire[1] à plusieurs batailles en Europe et j'ai vu mes compagnons mourir ou devenir estropiés, le tout pour quelques maigres sous. Les bénéfices et les honneurs étaient réservés aux riches et aux puissants – à ceux qui avaient tout manigancé, mais qui se tenaient bien à l'écart des horreurs de la guerre. C'est alors que j'ai décidé que si je devais risquer ma vie au combat, il fallait que ce soit pour moi-même et pour mon propre profit. J'ai donc quitté la vie de soldat pour embarquer sur un navire hollandais en partance pour les Antilles. On m'avait beaucoup parlé du Nouveau Monde de l'autre côté de l'océan, là où les gens pauvres pouvaient accéder à une vie décente. Quoique « décent » ne soit peut-être pas le mot le plus juste...*

*Peu de temps après, j'ai dû à nouveau me battre pour sauver ma vie. Notre navire a été attaqué par des pirates venus de l'île de la Nouvelle Providence – le repaire des pirates des Bahamas.*

*La lutte a été sanglante...*

*Grâce à mon entraînement et à mon expérience, je me suis bien défendue, mais leur*

1. Soldat qui s'engage contre de l'argent dans une armée étrangère.

*supériorité en nombre était trop grande, et j'ai dû rendre les armes. Le sabre baissé, j'étais sûre que ma dernière heure sur cette terre avait sonné... Comme j'avais tué plusieurs pirates je ne pouvais guère m'attendre à un autre destin que la mort. J'espérais seulement qu'elle serait rapide et sans tortures...*

*Le capitaine des pirates s'appelait Samuel Bonny – il était craint des marchands et des propriétaires de plantations dans toutes les Caraïbes.*

*Il m'a fait cadeau de ma vie. Il avait remarqué mon adresse au sabre et m'a proposé de me joindre à eux. « On a toujours besoin d'un bon escrimeur », c'est ce qu'il a dit. J'ai accepté son offre, sinon c'était la mort, et je tenais trop à la vie !*

*C'est ainsi qu'a commencé ma vie de pirate. En effet, mon petit Victor, ta mère est une pirate !*

*C'est une vie qui m'a plu. L'aventure garantie, la fortune assurée et avant tout la liberté à bord. Bien sûr nous avions nos lois et nos règles, mais elles n'avaient pas de commune mesure avec la vie d'esclave que j'avais connue comme soldat et ensuite comme matelot. La plupart des pirates avaient des années de navigation derrière eux et, s'il y avait quelque chose qu'ils haïssaient par-dessus tout, c'était la façon dont on les avait traités à bord. Des conditions de vie si intolérables qu'ils avaient préféré s'enfuir et devenir des hors-la-loi.*

*J'ai écumé les Caraïbes pendant des années sous les ordres du capitaine Bonny. Nous avons pillé de nombreuses villes et attaqué tous les navires que nous estimions pouvoir vaincre ! Personne n'a jamais soupçonné que j'étais une femme. Certains me trouvaient certes un peu trop beau pour un homme, mais ils n'osaient pas le dire à haute voix, car ils respectaient – et craignaient – mon adresse au sabre.*

*Mais toute chose a une fin...*

*Après une attaque particulièrement réussie, nous avons mouillé dans une baie où nous nous sentions en sécurité, et comme le voulait la coutume, nous sommes allés sur la plage pour partager le butin. Après le partage ont commencé les festivités, et comme nous avions saisi plein de caisses de rhum, la fête a duré plusieurs jours. L'équipage – fin soûl – errait un peu partout sur l'île, personne ne montait plus la garde, et personne n'a remarqué la petite barque de pêche en face de l'île...*

*Les pêcheurs, eux, avaient vite compris qui nous étions, et ils avaient alerté le gouverneur de la Jamaïque, qui sans tarder avait envoyé deux navires de guerre. Ils nous ont pris par surprise, d'autant plus facilement que la plupart de mes compagnons étaient trop ivres pour résister.*

*Mais moi, j'avais tout observé à distance, car je m'étais éloignée des beuveries pour savourer quelques moments de tranquillité : c'est ainsi que j'ai vu tous mes camarades se faire capturer. Je savais bien que les soldats n'allaient pas tarder à me découvrir, alors il ne me restait plus qu'une chose à faire...*

*Vite, je me suis déshabillée et je suis descendue sur la plage, vêtue seulement d'une chemise déchirée. En larmes, j'ai raconté comment les pirates m'avaient capturée. Ils ont bu mes paroles comme du petit-lait ! Je revois encore le visage du capitaine Bonny quand il s'est rendu compte que j'étais une femme et que je l'avais trompé pendant toutes les années où j'avais navigué sous ses ordres. Il n'a pourtant rien laissé paraître et n'a pas révélé aux soldats que j'étais une pirate comme les autres. Il s'est contenté d'un petit rire en me regardant, c'était sa façon de me dire qu'il me comprenait, et que c'était en effet la seule façon de sauver ma peau ! J'avais beaucoup d'estime pour le capitaine Bonny – c'était un homme droit et juste.*

*On nous emmenés à Port Royal[1] où les femmes de la ville m'ont accueillie à bras ouverts. Tout étonnées et les yeux écarquillés, elles ont écouté les histoires des atrocités que les pirates m'avaient fait subir. Je n'y allais pas de main morte quand il s'agissait de décrire mon malheureux destin ! De toute façon, je ne pouvais rien dire ni rien faire qui vienne en aide au capitaine Bonny et à mes compagnons. Leur sort était scellé : la sentence inévitable pour la piraterie, c'était toujours la potence !*

*Sur le port, je les ai vus se faire pendre l'un après l'autre. Aucun ne m'a trahie, ils ont tous marché dignement vers leur destin, et ils sont morts comme ils avaient vécu, le cœur révolté contre les lois créées par les puissants de ce monde, ces lois qui les avaient poussés à devenir ce qu'ils étaient.*

*On les a laissés pendus au gibet pendant plusieurs jours, comme pour avertir tous ceux qui auraient été tentés par une vie de flibuste. Mais cela n'a pas suffi pour m'effrayer...*

*Pourtant, j'aurais pu commencer une nouvelle vie à Port Royal. Une vie rangée et honorable. J'aurais pu avoir un mari et des enfants, comme n'importe quelle autre femme. J'aurais*

1. Aujourd'hui Kingston, capitale de la Jamaïque.

*pu habiter une de ces belles maisons respectables... mais je dois admettre que cette perspective ne m'a pas tentée un seul instant. Ces femmes devaient obéir à leur mari, elles n'étaient pas des êtres libres qui pouvaient décider de leur propre sort. La fin atroce de mes camarades n'a rien changé à mon choix : j'avais maintenant la flibuste dans le sang. Après quelques semaines passées à terre, le goût de l'aventure et du large me démangeait trop.*

*Un jour un navire est arrivé à Port Royal, un navire sous pavillon espagnol qui portait le nom de El Hacon. Son apparence paisible ne m'a pas trompée, car j'ai reconnu plusieurs membres de l'équipage, que j'avais déjà rencontrés dans différents repaires de pirates un peu partout dans les Caraïbes.*

*Le capitaine s'appelait Little Joe – je n'ai jamais connu autre chose que son sobriquet – car, comme la plupart d'entre nous, il préservait sa vérité et son histoire personnelle comme un précieux trésor. J'avais entendu parler de lui – et lui de moi. Je le savais rusé et habile, alors j'ai demandé à embarquer sur El Hacon – à nouveau déguisée en homme.*

*Pendant deux ans j'ai navigué sous le commandement de Little Joe. Puis il est arrivé quelque chose de totalement imprévu : j'ai rencontré ton père. L'homme qui a éveillé en moi des sentiments que je n'avais jamais osé imaginer ni même rêver.*

*Ça s'est passé une nuit où nous avions attaqué un gros navire marchand. El Hacon mouillait près de notre village, car il était en piteux état, alors nous sommes partis à l'attaque avec des embarcations légères. Ces petits bateaux étaient difficiles à distinguer dans le noir – et nous avons eu l'avantage de la surprise. Bien qu'il y ait eu beaucoup de soldats à bord, nous n'avons pas mis longtemps à les abattre. Nous étions comme des loups, rusés et sans pitié. À la fin, il n'y avait plus sur le pont que quelques matelots effrayés qui s'attendaient au pire – non sans raison.*

*Comme il en avait l'habitude, Little Joe les a passés en revue. Il voulait connaître leur métier, car nous avions souvent besoin de bons artisans.*

*C'est alors que j'ai vu ton père pour la première fois.*

*— Charpentier, a-t-il répondu quand Little Joe a voulu savoir ce qu'il faisait à bord.*

*Je ne me trouvais pas loin et j'ai entendu la réponse. Une réponse qui, cette nuit-là, a sauvé la vie de ton père. »*

J'ai baissé le livre un moment pour contempler l'océan, mon cœur empli d'un étonnement mêlé de joie. À cet instant précis, je me suis enfin senti tout proche de mes parents !

Ce que ma mère écrivait sur cette page était la dernière chose que mon père m'avait racontée le soir où il avait eu l'impression d'apercevoir *El Hacon* dans la nuit. Maintenant, j'allais donc enfin connaître la suite...

Vite, j'ai repris ma lecture.

*« Je ne sais pas ce que ton père t'a raconté sur nous deux – tel que je le connais, il ne t'a pas dit grand-chose. Ce n'est pas un homme bavard, ton père ! D'ailleurs, au moment où tu lis ces lignes, tu dois bien le savoir.*

*Dès que je l'ai vu, j'ai trouvé ton père très beau, et bien différent des hommes que j'avais l'habitude de côtoyer : il affrontait la vie sans armes ! Mais je n'y ai pas beaucoup pensé cette nuit-là, car il fallait avant tout décharger du navire espagnol tout le ravitaillement et les biens de valeur qu'il transportait. Il y avait de nombreux coffres ferrés – ce qui expliquait la présence d'autant de soldats à bord. J'ai vu qu'on ordonnait à ton père de descendre dans une des barques, puis j'ai vu les autres survi-*

*vants se faire abattre... Un homme mort ne peut pas témoigner !*

*Nous avons mis le feu au navire et nous sommes partis. Il a brûlé longtemps en de belles langues de feu qui illuminaient la nuit. Un spectacle presque banal pour moi maintenant... Ensuite la mer a englouti la carcasse, et sous le ciel étoilé il n'y avait plus que la mer obscure – comme si rien ne s'était passé.*

*Nous sommes restés en mer toute la nuit et presque toute la journée du lendemain, et je n'ai pas vu ton père. Il était dans un autre bateau, dans celui de Little Joe.*

*Au cours du trajet, quelques-uns de mes compagnons ont succombé à leurs blessures – ils ont été immergés aussitôt – sans une parole pour les accompagner, mais dans un silence qui en disait aussi long que des mots. Notre destination, c'était bien sûr la Casa – notre village, le havre secret de Little Joe et de ses hommes. Il se trouvait sur un îlot, au bord d'une lagune, entouré de hautes montagnes – ce qui le rendait invisible de la mer. Le village n'était fait que de quelques cabanes et d'une taverne sans murs, mais c'était notre foyer. Nous avions l'impression d'y être en sécurité, même s'il y avait toujours des hommes pour monter la garde. Ils guettaient les bâtiments de guerre, mais aussi, bien entendu, les navires marchands que nous pouvions attaquer !*

*El Hacon mouillait au milieu de la baie dans un triste état. Nous n'avions réchappé que de justesse de notre précédent combat, et le bateau en avait fait les frais. On a donné à ton père une petite cabane, un peu à l'écart du village, et quelques jours plus tard Little Joe l'a emmené inspecter le navire.*

*— Peux-tu faire en sorte qu'il reprenne la mer ? a-t-il demandé.*

*Ton père s'est contenté de hocher la tête en guise de réponse. Puis il a commencé le travail, secondé par quelques Indiens et par deux pirates qui n'étaient plus de première jeunesse.*

*Les semaines suivantes, comme par hasard, je me suis trouvée souvent à proximité de ton père. Je le regardais travailler, je voyais ses mains musclées effectuer les tâches les plus difficiles. Il suffisait d'émettre une idée, et il lui donnait forme avec du bois !*

*Je ne lui parlais pas. Je n'osais pas, de peur de trahir mes sentiments à son égard, des sentiments qui chaque jour devenaient plus forts. Je craignais aussi que les autres habitants du village ne s'aperçoivent de l'intérêt que j'éprouvais pour lui. Quel serait mon sort s'ils découvraient que j'étais une femme ? Comment réagiraient-ils à toutes ces années de mensonge ?*

*C'est donc à distance que j'observais ton père, je voulais m'assurer qu'il ne lui arrivait aucun mal. En m'endormant le soir, je pensais encore à lui. Je revoyais ses yeux bleus comme un ciel d'été inondé de soleil, si différents des miens qui rappelaient la nuit noire. Je ne trouve pas les mots, petit Victor, pour expliquer ce que je ressentais pour ton père, je sais seulement qu'il occupait toutes mes pensées. Je suppose que c'est ça, l'amour ?*

*Quelques mois ont passé et nous sommes à nouveau partis en expédition. Cette fois-ci, la proie était un navire portugais qui se trouvait à quelques milles au nord de notre île. C'est au moment de l'abordage que Little Joe a été tué. Comme toujours, il était au premier rang et une balle l'a atteint en plein front.*

*Sa mort nous a tous chagrinés, c'était un excellent capitaine. Courageux dans les combats, équitable chaque fois qu'il fallait régler un conflit entre nous, juste dans son verdict. Et, qui plus est, il avait jusqu'ici eu la chance avec lui.*

*L'élection du nouveau capitaine a eu lieu quelques jours plus tard dans la taverne de la Casa. C'est un dénommé Miguel le Rouquin qui a été choisi. Une vraie brute. Quand sa fureur se déchaînait, peu de gens osaient rester dans les parages. Il maniait bien les armes, mais il lui manquait la sagesse et la ruse de Little Joe. Il se lançait toujours à corps perdu dans les batailles, intrépide et furieux, comme un fou. D'ailleurs « fou » est peut-être le mot qui le décrit le mieux...*

*Quelques jours après son élection, Miguel le Rouquin s'est fait conduire en barque jusqu'à El Hacon. Comme je l'accompagnais, je peux témoigner de ce qui s'est passé ensuite.*

*Il a commencé par décréter que les travaux de réparation avançaient trop lentement. Ton père a tenté de dire que pour aller plus vite il lui fallait davantage d'hommes pour le seconder. Cette remarque a rendu Le Rouquin fou furieux.*

*— T'as qu'à travailler la nuit ! C'est toute l'aide qu'il te faut ! a-t-il vociféré.*

*Ton père a voulu expliquer qu'ils avaient besoin de la lumière du jour pour faire avancer le chantier, mais c'en était trop pour Le Rouquin. Son visage est devenu écarlate et il a littéralement explosé de colère, hurlant que ton père avait vu le soleil se lever sur son dernier jour :*

*— Ce soir, devant la taverne, duel à mort au sabre, homme contre homme, misérable rat !*

*J'ai vu ton père blêmir, mais il n'a pas pipé mot. Personne d'autre non plus, d'ailleurs. Personne n'osait contredire Le Rouquin quand il était de cette humeur-là...*

*Le soir, ton père est venu prendre position sur le sable blanc, le sabre à la main. Il était clair qu'il ne savait pas s'en servir ! Et tous nous savions que dans quelques instants il tomberait mort sur la plage... Lui aussi le savait. Il fixait pourtant Le Rouquin d'un regard calme, le regard de quelqu'un qui ne voulait pas demander grâce. D'ailleurs, cela aurait été peine perdue, Miguel le Rouquin n'avait jamais eu pitié de personne !*

*— Alors, notre petit rat est-il prêt à mourir ? a-t-il ricané, méprisant. Voyons voir ce qu'un rat sait faire avec un sabre !*

*En riant il a agité son arme devant le visage de ton père qui n'a pas bougé le sien. Immobile, il attendait ce qui devait arriver.*

*Je ne supportais pas de rester là sans agir. C'était l'homme que j'aimais par-dessus tout qui se trouvait là, livide et prêt à se laisser abattre par ce fou furieux.*

*— Il faut un rat pour comprendre un rat, ai-je dit sourdement.*

*— Qui a dit ça ? a aussitôt hurlé Le Rouquin.*

*— Moi !*

*Et j'ai fait un pas en avant pour qu'il me voie.*

*Le Rouquin m'a regardée sans rien dire, manifestement surpris.*

*— De quoi tu te mêles ? C'est moi le capitaine maintenant !*

*— Je n'aime pas beaucoup les capitaines qui s'acharnent contre les gens qui savent à peine tenir un sabre ! À quoi ça va te servir ? À étancher ta stupide soif de sang ? Pourquoi n'abats-tu pas quelques poulets à la place ? Crains-tu qu'ils ne t'offrent trop de résistance ?*

*Le résultat de ma tirade a été celui que j'escomptais ! Le Rouquin s'est laissé provoquer – et comme tous les gens en colère il risquait de faire des erreurs...*

*— À ton tour d'abord, femmelette ! (Il s'est avancé vers moi, le sabre haut.) Quand j'en aurai fini avec toi, il ne restera rien de ton joli visage !*

*J'ai répondu avec mon plus beau sourire et ça a été la goutte d'eau ! Il s'est rué vers moi, zébrant l'air avec fureur, mais je n'ai eu aucun mal à éviter la lame d'acier brillant. Je n'avais pas encore sorti mon sabre. Il a essayé une attaque après l'autre, mais j'ai esquivé à chaque fois, sous les rires des spectateurs qui s'étaient amassés sur la plage.*

*— Bats-toi comme un homme ! a hurlé Le Rouquin.*

*— Tu l'auras voulu, ai-je dit en dégainant mon sabre.*

*Quelques fentes plus tard, il s'est retrouvé avec une écorchure supplémentaire au visage.*

*Le Rouquin s'est arrêté un bref instant et m'a lancé un regard méfiant : il avait compris que, pour me vaincre, il allait lui falloir dompter sa rage.*

*C'est ainsi que le vrai combat a commencé. J'ai paré la force violente de ses attaques avec l'adresse et l'agilité que j'avais acquises quand j'étais soldat, mais brusquement un de ses coups m'a atteinte à la poitrine. Pas très profondément, mais assez quand même pour déchirer ma chemise... J'ai entendu l'exclamation unanime des hommes autour de moi : tous ont porté le regard vers ma poitrine. Le Rouquin est resté bouche bée, incapable d'en croire ses yeux injectés de sang.*

*— Viens, viens, lui ai-je dit, tu vas enfin savoir ce que c'est d'être tout près d'une femme, si tu en es capable !*

*C'est à peine s'il a eu le temps de lever son sabre avant que tout soit fini. Il s'est écroulé devant moi sur le sable, et il ne s'est jamais relevé.*

*Ce soir-là, sur la plage, je m'attendais au pire. Maintenant, ils savaient tous que j'étais une femme et que je leur avais caché la vérité pendant des années... mais contrairement à mes craintes, ils m'ont acclamée avec des rires joyeux !*

*Attablés sous le toit de la taverne quelques heures plus tard, ils m'ont élue capitaine de El Hacon. Je n'aurais jamais cru qu'une chose pareille puisse m'arriver, mais je dois avouer que j'en ai éprouvé une certaine fierté. Une femme capitaine de pirates, c'était là une chose tout à fait inouïe !*

*Cette révélation a aussi été un soulagement, car pendant des années j'avais été obligée de faire attention à tout, j'avais vécu dans la crainte constante de me trahir, de révéler qui j'étais. Ce soir-là, je me suis rendu compte que cela avait été plus éprouvant que je n'avais voulu me l'avouer !*

*Dorénavant, je pouvais aussi faire ce que je désirais tant : être en compagnie de ton père ! Je dois admettre qu'il lui a fallu un certain temps avant de se sentir rassuré et d'avoir confiance en moi.*

*Comme tu t'en doutes, de nous deux, c'est moi qui ai parlé le plus ! »*

J'ai posé le livre à nouveau et j'ai essayé de les imaginer – formant ce couple qui allait devenir mes parents. Je les imaginais comme les couples d'amoureux dont on parlait dans les livres que j'avais lus au couvent. Comme des amoureux totalement épris l'un de l'autre, insensibles au monde qui les entourait.

Une fois, j'avais essayé d'interroger frère Frantz au sujet de l'amour, mais il m'avait répondu qu'il ne s'y connaissait pas beaucoup !

— Tu dois bien en savoir un petit peu, quand même, non ?

— Peut-être un tout petit peu, avait-il dit avec un sourire en coin, mais ce n'est pas vraiment un domaine où les moines sont experts !

— Tu n'as pas toujours été moine, tout de même ?

— En effet, mais je fais tout ce que je peux pour effacer de ma mémoire cette période-là de ma vie, et il n'avait pas voulu en dire davantage.

Je me suis vite replongé dans ma lecture.

*« Au bout de quelque temps, ton père et moi étions sûrs de notre choix : nous voulions passer notre vie ensemble. Nous nous sommes donc installés dans une cabane de l'autre côté de la lagune, un peu à l'écart du village. Là, nous avons commencé à échafauder un rêve commun,*

*un rêve à deux, même si c'était moi qui le mettais le plus souvent en paroles. Le rêve de vivre comme d'ordinaires et honnêtes citoyens sans avoir besoin de nous cacher. Pourtant, au fond de nous-mêmes, nous savions qu'il ne se réaliserait jamais... En tout cas, moi je le savais – car j'étais maintenant capitaine de pirates et les hommes exigeaient de moi que je les dirige vers de nouveaux pillages.*

*— Rêvons tout de même, murmurait souvent ton père.*

*Il avait fallu encore quelques mois après mon élection pour que El Hacon soit fin prêt à reprendre la mer. Ton père était à bord, mais je lui avais interdit de porter des armes. Mes tentatives pour lui enseigner le maniement du sabre étaient restées totalement infructueuses ! Il n'avait vraiment pas ça dans le sang, il était charpentier et je l'aimais – cela me suffisait largement.*

*Pourtant nous savions qu'en cas de malchance, si nous nous faisions capturer, armé ou pas, il serait pendu comme les autres. Les navires de guerre qui nous pourchassaient n'auraient aucune pitié de nous, et ils devenaient de plus en plus nombreux. La vie de pirate n'était plus la voie royale vers la richesse, d'ailleurs l'avait-elle jamais été ?*

*Nous avions de la chance. J'avais beaucoup appris sous les ordres du capitaine Bonny et de Little Joe, et je savais combien il était important de bien planifier une attaque afin d'agir quand l'ennemi s'y attend le moins. Je savais aussi qu'il fallait toujours prévoir une possibilité de retraite au cas où les choses tourneraient mal – et c'est ainsi qu'après chaque raid nous retournions à la Casa chargés de trésors.*

*Puis un jour j'ai découvert que je t'attendais, Victor !*

*Et le jour où je t'ai tenu dans mes bras pour la première fois, ça a été le plus beau jour de ma vie ! Je n'avais jamais osé espérer ça un jour : être mère, être responsable d'un petit enfant. Je n'aurais jamais cru que j'allais moi aussi ressentir cette émotion que tant de femmes ont ressentie avant moi !*

*À ta naissance, j'ai décidé d'arrêter là ma vie de pirate. Nous avions amassé assez d'argent pour mener une vie conforme aux lois, même si nous ne pouvions pas vivre avec les citoyens ordinaires – j'étais trop connue dans les Caraïbes pour cela. Impossible donc d'être sûre qu'on n'allait pas me reconnaître et me dénoncer : c'est pourquoi nous sommes restés tranquillement à la Casa pendant trois ans. Bien sûr, il ne m'était jamais facile de rester à terre quand El Hacon partait au large, pas facile de le voir passer le détroit pour se lancer vers de nouvelles aventures !*

*Mais tu étais là ! J'avais la joie de sentir tes petits bras m'enlacer et j'ai pu guider tes premiers pas. Le soir, je m'asseyais souvent à côté de ton lit pour t'écouter dormir. À ces moments-là, ton père et moi, nous parlions de ton avenir et nous espérions de tout cœur que tu connaîtrais une vie différente de la nôtre !*

*Un jour nous en parlerons ensemble tous les trois, si le destin nous est favorable...* »

C'étaient là les derniers mots du récit de ma mère, le reste du cahier n'était que des pages blanches. Je les ai tournées plusieurs fois en me disant que je n'avais peut-être pas tout lu, mais non, c'était bien tout. Pas un mot sur ce qui était arrivé par la suite, rien sur les raisons qui avaient pu la pousser à nous quitter mon père et moi, rien pour expliquer pourquoi il avait dû rester seul à terre avec un petit garçon à élever. Pourquoi s'est-elle arrêtée là ? Elle aurait bien pu en raconter davantage ! D'une certaine façon, je me sentais déçu même si pour la première fois de ma vie j'avais appris quelque chose sur ma mère !

Assis sur le rocher, je suis resté à contempler la mer – longtemps, sans même m'apercevoir que la nuit était tombée. Au-dessus de moi, les étoiles scintillaient, lointaines et secrètes. Il n'y avait pas le moindre souffle d'air et la mer était lisse et brillante, zébrée des rayures cendrées de la lune. On aurait dit qu'elle retenait son souffle en attendant la caresse d'une brise...

J'ai refermé le livre et rattaché la lanière de cuir qui en maintenait la couverture, puis traversant le bosquet d'arbres noirs comme la nuit, je l'ai remis dans le coffre caché dans l'entaille du rocher. Enfoui sous les pièces d'or, ce livre était, pour moi, le plus précieux des trésors...

Puis je suis redescendu au bateau, je l'ai remis à l'eau et j'ai commencé à ramer.

Le voyage de retour a été très long : ce n'est qu'à l'aube que le vent s'est levé et que j'ai enfin pu hisser la voile.

## Chapitre 5

— Il s'est passé quelque chose ?

Dans le gris du petit matin, frère Frantz m'attendait sur la plage. Derrière lui, je distinguais la Perla comme une silhouette dentelée qui se découpait contre le ciel d'aurore.

— Non, non, ai-je menti, content que l'obscurité cache l'expression de mon visage. J'ai seulement oublié l'heure, là-bas, dans la cabane.

Quelque chose dans le son de sa voix m'a montré qu'il ne me croyait pas tout à fait, mais nous n'en avons pas dit davantage. Je n'avais pas envie de lui parler du cahier que j'avais trouvé. Pas encore en tout cas, et peut-être bien jamais. Du coup je me suis dit que j'étais aussi peu communicatif que mon père !

Dans les années qui ont suivi, je suis souvent retourné à la cabane, ou à ce qu'il en restait. Les tempêtes ont fini par la dévaster presque totalement, et bientôt dans les broussailles seuls sont demeurés visibles la cheminée et son âtre. De toute façon, ce n'étaient pas les vestiges de la maison qui m'attiraient là-bas, c'était mon passé. S'il s'écoulait trop de temps entre mes visites, je devenais fébrile, comme si j'avais commis une faute – j'avais en quelque sorte mauvaise conscience si je n'y allais pas.

Souvent je montais en haut du rocher pour scruter la mer. Je la fixais comme mon père avait eu l'habitude de le faire. Au fond de moi, j'espérais qu'une voile apparaîtrait à l'horizon – la voile d'un navire appelé *El Hacon*. J'en rêvais, pensant à elle, à ma mère : Victoria Reed. Mais pourquoi reviendrait-elle après tant d'années ? Je n'avais pas de réponse à ma question, pourtant j'attendais et j'espérais – une habitude héritée de mon père.

L'année de mes quatorze ans, frère Michael est mort. Nous l'avons trouvé dans la bibliothèque, la tête posée sur son bureau usé, entouré de ses chers livres qu'il aimait plus que tout sur cette terre, à part son Dieu bien sûr.

Je pense souvent à lui, car c'est frère Michael qui m'avait ouvert la porte des livres, c'est lui qui m'avait guidé patiemment à travers ces milliers de voix différentes. Il avait toujours le temps quand mon esprit débordait de questions.

Et finalement c'est à moi que les moines ont confié la responsabilité de la bibliothèque. Malgré mon jeune âge, ils ont estimé que c'était moi qui avais lu le plus, que c'était moi le plus assoiffé de lecture. Après le vieux frère Michael bien sûr, mais lui se reposait maintenant sous terre dans un coin du potager.

— Il doit être en train de réfléchir à tout ce qu'il a lu ! a dit frère Frantz.

Le couvent et ses nombreuses activités n'étaient plus mes seules occupations ; je descendais de plus en plus souvent vers le village. Je me promenais dans le port où je regardais les bateaux arriver et partir : des navires étrangers qui venaient de la lointaine Europe, de l'autre côté de l'océan. J'écoutais les marins parler des langues que je ne comprenais pas et je voyais leurs corps ruisselants de sueur charger et décharger les marchandises. Leurs regards pleins de haine et de rancune envers le capitaine ne m'échappaient pas et je pensais à mon père... Autrefois, lui et son ami Odd avaient eux aussi peiné ainsi dans les ports...

Je me postais régulièrement devant la seule taverne de la Perla où, à travers les fenêtres étroites, je voyais des hommes assis dans la pénombre. Je sentais les odeurs de nourriture mêlées à celles de la pièce sombre et j'écoutais leurs rires tonitruants. Parfois ils parlaient à voix basse, comme s'ils gardaient jalousement des secrets réservés à des oreilles privilégiées. Je m'imaginais aussitôt que certains de ces hommes étaient des pirates qui avaient pu connaître mon père et ma mère. Peut-être avaient-ils navigué sur le même bateau, peut-être savaient-ils des choses sur eux, des choses que je rêvais de connaître ? Pourtant je n'osais jamais y entrer, je restais dehors dans le crépuscule à contempler les lumières vacillantes qui filtraient par les fenêtres.

— Qu'est-ce que tu as ? m'a demandé un jour frère Frantz.

— Qu'est-ce que tu veux dire ?

— Pourquoi es-tu constamment posté devant cette taverne ? Tu es un être libre, alors pourquoi n'y entres-tu pas ?

Ça m'a mis en colère, comme s'il avait pénétré dans mon jardin secret que je ne voulais partager avec personne.

— Je ne voulais rien dire de mal, a murmuré le moine. Je souhaitais seulement t'encourager parce que tu y vas presque tous les soirs maintenant.

J'avais des mots durs au bout de la langue, mais je me suis tu, sachant au fond de moi qu'il ne voulait que mon bien et qu'il était mon seul ami véritable de par ce monde.

— Ce n'est rien, c'est sans importance.

Et cette fois c'était moi qui murmurais gêné.

— Tant mieux, a dit frère Frantz avec un sourire en coin, pour un peu j'aurais cru que tu guettais l'arrivée d'un ou deux pirates.

— Des pirates ? Et pourquoi est-ce que je m'intéresserais aux pirates ?

— Parce que ton père a navigué avec eux, et ta mère aussi, et parce que tu crois qu'ils pourraient te parler d'eux.

Je l'ai regardé, effaré. Comment pouvait-il connaître tant de choses sur ce que je croyais être mon secret ?

— Du calme, Victor, a dit le moine en posant une main sur mon épaule. Ce n'était pas très difficile à deviner, tu sais. Je me souviens bien du jour où ton père est arrivé ici pour la première fois, avec toi et la vieille femme indienne. Tu étais encore tout petit. Et c'est au même moment que nous avons aperçu *El Hacon* dans les parages, le célèbre navire connu de tous comme celui de la Reine des Pirates.

— La Reine des Pirates ?

Mon cœur battait à tout rompre.

— C'est ainsi qu'on la surnommait – en réalité elle s'appelait Victoria Reed. Elle est connue partout dans les Caraïbes. On raconte tellement d'histoires à son sujet, toutes plus fabuleuses les unes que les autres. Vraiment, je ne pense pas me tromper en disant que c'est elle, ta mère !

Je l'ai regardé comme s'il était un magicien capable de lire dans mes pensées les plus profondes.

— Arriver à cette conclusion n'est pas aussi difficile que tu crois : on voit *El Hacon* près de la côte, un homme et un jeune enfant s'installent à l'écart des gens en montrant clairement qu'ils tiennent à leur tranquillité, comme si l'homme avait quelque chose à cacher. Et par-dessus le marché, quand il vient en ville acheter quelque chose, il paie avec des pièces d'or – chose que peu de gens possèdent par ici... Et ceux qui ont de l'or n'habitent pas très souvent dans de modestes cabanes comme des gens pauvres !

— Tu crois que beaucoup d'autres personnes l'ont deviné aussi ?

— Non, je ne crois pas. Vouloir vivre à l'écart, ce n'est pas si rare par ici. Dans les Caraïbes, il y a pas mal de gens qui veulent se tenir aussi loin que possible des autorités. Alors on n'en parle pas trop ; d'ailleurs, la plupart des habitants de la Perla comptent un pirate ou deux dans la famille. À mon avis, rares sont ceux qui ont fait le lien entre vous et *El Hacon*.

— Pourtant toi tu l'as fait !

— C'est sans doute parce que le Tout-Puissant m'a doté d'une imagination particulièrement riche, a dit frère Frantz, un sourire malicieux aux lèvres.

« Ou bien parce que tu t'y connais plus en pirates que tu ne veux bien me l'avouer », me suis-je dit en moi-même.

Soudain, il est redevenu sérieux.

— Ce n'est pas une mauvaise idée de te renseigner un peu à la taverne, si tu as toujours plus de questions que de réponses au sujet de ta mère. Beaucoup de gens la fréquentent, y compris des pirates ou d'anciens pirates. Mais fais bien attention ! Ils ne donnent pas facilement de renseignements, en revanche ils n'hésitent pas à prendre une vie...

Quelles paroles surprenantes ! N'importe qui d'autre au couvent m'aurait plutôt conseillé la prière et la méditation des Saintes Écritures. Pas frère Frantz. Je me suis alors souvenu de sa drôle de réponse le jour où je me plaignais de mon manque de foi : « Il faut vider sa maison avant d'y installer de nouveaux meubles, Victor. »

Ce n'est que ce jour-là que j'ai commencé à voir ce qu'il voulait me faire comprendre.

Un soir enfin, j'ai osé pénétrer dans la taverne. La saison des pluies venait de commencer, les gouttes tambourinaient furieusement sur les toits et les ruelles du village étaient transformées en ruisseaux.

La taverne était presque vide, son éclairage parcimonieux transformait en ombres les rares personnes attablées. À part une jeune Indienne qui servait les boissons, il n'y avait là que des hommes. Quand elle n'avait rien à faire, elle se tenait accroupie dans un coin de la pièce. Immobile, elle se confondait presque avec les ombres, cependant elle ne perdait pas de vue le moindre geste des clients, j'en étais sûr.

L'aubergiste, un géant chauve au front tatoué de bleu, était penché par-dessus le bar. Il m'a adressé un regard vide avant de me verser, sans un mot, une timbale de rhum qu'il a poussée vers moi. J'ai posé une pièce sur le bar et je me suis installé à une table libre.

Pas très à l'aise, je fixais ma timbale en écoutant la pluie tomber à verse, et en même temps j'essayais de saisir ce que disaient les clients des tables voisines.

Je sentais posés sur moi les yeux de la jeune Indienne, tapie dans le coin le plus sombre de la pièce, guettant sans doute le moment où je viderais ma timbale pour m'en apporter une autre.

À la table d'à côté se trouvaient trois hommes d'un certain âge. Bien qu'habillés comme de pauvres marins, ils portaient des armes : pistolets et sabres. À la dérobée, j'observais leurs visages émaciés, burinés par le soleil et les années. Ils avaient la barbe et les moustaches grisonnantes et l'un d'eux portait un bandeau noir sur l'œil.

— Alors, mon gars, de quel navire viens-tu ? m'a apostrophé l'un des hommes avec un sourire édenté.

C'est à ce moment-là que j'ai fait une autre découverte : sur leur avant-bras gauche était tatoué un faucon aux ailes déployées... Comme *El Hacon* : « le faucon » en espagnol !

— J'habite ici.

— Ah bon, a-t-il marmonné en se désintéressant aussitôt de moi.

— Il habite au couvent, a précisé brusquement l'aubergiste.

— Tiens ! Tiens ! Un petit moine assoiffé ! Les hommes ont éclaté de rire.

— Ne le prends pas mal, petit. Nous avons tous eu plus ou moins soif ! Comment t'appelles-tu ?

— Victor... Victor Thorson.

— Thorson ? Ce nom me dit quelque chose... Leurs regards se sont tous tournés vers moi comme pour m'examiner.

— Comment s'appelle ton père ? On le connaît peut-être.

— Il s'appelait Jon Thorson, mais il est mort maintenant.

— Était-il marin ?

— Oui, il était charpentier navigant.

C'était comme si ma réponse les avait cinglés : ils se sont redressés, attentifs.

Je les ai vus échanger un regard un peu indécis, puis l'un d'entre eux s'est raclé la gorge en disant :

— Viens t'asseoir avec nous, petit. On peut avoir des choses à se dire.

Ils m'ont vu hésiter.

— Ne t'inquiète pas, nous ne sommes plus dangereux depuis bien longtemps.

De cela je doutais fort – car si c'était le cas, pourquoi étaient-ils armés ?

# CHAPITRE 6

Les trois hommes m'ont dit s'appeler William, Joe et Robert, mais je doute fort que ce soit leurs vrais prénoms. Quant à leurs noms de famille, ils n'ont pas voulu me les dire.

— Les noms n'ont pas d'importance. Pas pour des gens qui ont mené la vie que nous avons menée. Tu comprends ce qu'on veut dire, n'est-ce pas, petit ?

J'avais emporté une pièce d'or. Enfin était arrivé le moment que j'avais tant attendu. Me souvenant que mon père devenait plus bavard quand il y avait du rhum sur la table, j'ai demandé à l'Indienne de nous apporter une bouteille.

Son arrivée a été accueillie avec de larges sourires !

— Tiens ! Tiens ! Tu es bien le digne fils de Flaco et de la Reine des Pirates ! a dit Joe.

— Flaco ?

— C'était le surnom de ton père, grand et maigre comme il était. Je me souviens bien de la première fois où je l'ai vu, le jour où Little Joe l'a amené à la Casa. Tu connais ce village ?

— J'en ai vaguement entendu parler. C'était une ville secrète de pirates, c'est bien ça ?

— En effet, a confirmé Robert. C'était la plus belle époque de notre vie, hein ?

Les autres ont opiné de la tête.

— Comment était-il, mon père ?

— Il n'était pas de ceux qui parlent à tort et à travers ! Et il n'était pas doué pour la bagarre. Je ne l'ai jamais vu une arme à la main, sauf la fois où ce fou de Rouquin l'avait défié. Tu connais l'histoire ?

— Oui, mais je veux bien l'entendre à nouveau.

— C'était un excellent charpentier, a dit Joe en changeant le cours de la conversation. Ses mains étaient capables de tout faire, d'ailleurs, c'est pour ça que Little Joe l'avait amené au village. *El Hacon* avait pris de vilains coups, c'est à peine s'il se maintenait à flot.

— Oui, la frégate espagnole s'était drôlement bien défendue, a ajouté William.

— Non, la frégate, c'était bien plus tard. Ils étaient sur le point de se disputer pour savoir quel bâtiment avait fait mouche sur *El Hacon*. Le rhum avait commencé à faire son effet, et en évoquant leur passé ils s'excitaient et s'échauffaient avec la fougue de la jeunesse.

— Comment était ma mère, Victoria Reed ?

— Merveilleuse ! Belle comme la nuit étoilée. Mais ça, nous ne l'avons vu qu'après son combat contre Le Rouquin, quand nous avons découvert qu'elle était une femme ! On est tous tombés de haut ! Dire que nous avions navigué avec une femme pendant toutes ces années. Dieu seul sait comment nous avons pu être si aveugles !

— Puis vous l'avez élue capitaine...

— En effet. Il y a bien eu un ou deux gars pour dire qu'une femme à bord ça portait malheur, mais dans ces conditions notre sort aurait dû être scellé bien avant, depuis le temps ! Personne ne l'égalait dans le maniement des armes. Le Rouquin venait d'ailleurs d'en faire les frais et pourtant ce n'était pas un blanc-bec au sabre !

— Elle était douée en tout, est intervenu William. Elle ne faisait pas que se battre et foncer à corps perdu ! Au contraire, elle était très rusée, elle connaissait toutes les ficelles du métier.

— Faut dire qu'elle avait appris l'art de se battre sur les champs de bataille d'Europe !

— Et avec Little Joe. D'ailleurs, lui aussi préférait avoir recours à sa tête plutôt qu'aux armes.

Ils parlaient librement maintenant et semblaient m'avoir oublié en évoquant les villes et les navires qu'ils avaient pillés partout dans les Caraïbes. Entre chaque attaque, ils avaient parcouru de longues distances : Venezuela, Cuba, Hispaniola, Catalina – ils étaient même montés jusqu'aux villes côtières de la Floride dans le nord. Personne ne pouvait prédire où aurait lieu leur prochain assaut... même pas les hommes de l'équipage de *El Hacon*. Victoria ne connaissait que trop bien ses hommes : elle savait que les langues se déliaient facilement quand le rhum coulait à flots et que les pirates se prendraient vite pour des conquérants invincibles.

Seuls elle et mon père connaissaient l'objectif suivant.

Ils attaquaient souvent des petites villes côtières qui à première vue n'étaient constituées que de quelques maisons et de hangars le long d'une plage. Mais à l'intérieur des terres, bien cachées de la mer, se trouvaient de grandes plantations. De luxueuses demeures avec beaucoup d'esclaves et surtout d'immenses richesses – amassées justement grâce au travail éreintant des esclaves ! C'étaient ces maisons-là que visait Victoria...

Elle avait pour habitude de jeter l'ancre pour laisser *El Hacon* au mouillage à une bonne distance du rivage, invisible de la côte. À la faveur de la nuit, dans une petite embarcation, elle envoyait des espions évaluer les chances de réussite de l'expédition. Ils devaient tout d'abord trouver le lieu exact de la plantation, puis vérifier le nombre de gardes. Ces guetteurs passaient parfois des jours, voire des semaines à surveiller une plantation. Ils relevaient les occupations quotidiennes et les habitudes des gardes. Il leur fallait aussi découvrir la date prévue pour l'arrivée d'un navire. Un navire qui allait payer les marchandises qu'il embarquerait en or pur !

Parfois l'équipage grognait, mécontent de cette longue attente, piaffant d'impatience pour attaquer. Alors Victoria leur répondait en souriant : « Si vous êtes si pressés de mourir, les gars, je peux vous pendre au grand mât tout de suite. Vous n'avez qu'à demander ! »

Quand tous les plans étaient fin prêts, et quand chaque homme savait exactement ce qu'il avait à faire, elle lançait l'assaut.

Ils ramaient alors jusqu'à la côte où ils se déplaçaient comme des ombres dans la nuit, sans bruit, sans ordres criés. L'attaque se déroulait de façon si rapide et si habile que les gens avaient à peine le temps de comprendre ce qui se passait que tout était déjà fini et que les pirates s'étaient enfuis avec leur butin, aussi silencieusement qu'ils étaient venus ! Et le plus étonnant dans tout ça, c'était qu'il y avait rarement des morts !

Après une expédition, *El Hacon* reprenait le large pendant plusieurs jours, en s'éloignant autant que possible au cas où il aurait été pourchassé ; les autorités étaient toujours sur le qui-vive. La rumeur de l'existence d'un groupe de pirates invisibles s'était répandue dans toutes les Caraïbes, mais peu de gens savaient de qui il s'agissait : d'ailleurs Victoria punissait invariablement de mort les bavards !

« Silence et invisibilité sont nos meilleures armes », avait-elle coutume de dire.

Néanmoins, au bout de quelques années, le nom de *El Hacon* était-il devenu légendaire : le navire invincible !

La rumeur disait que le capitaine était une femme et on l'a surnommée « la Reine des Pirates ». Au début, seuls quelques-uns connaissaient son vrai nom, mais le temps a fini par avoir raison du secret. On murmurait et on chuchotait dans les tavernes, et il faut bien admettre que le rhum brun a un pouvoir magique pour délier les langues !

— Il y avait aussi autre chose qui nous rendait presque invincibles, a dit Joe en me regardant – comme si tout d'un coup il se souvenait de ma présence. Tous les jours passés en pleine mer, elle nous obligeait à nous entraîner avec les canons pour améliorer la vitesse et la précision de nos tirs. Chaque sabord avait son équipe attitrée qui devait s'entraîner pour chaque geste. En quelque sorte, l'équipage devait devenir une seule tête dotée de mains multiples. Cela allait se révéler fort utile, car lorsqu'un navire de guerre nous pourchassait, nous ne choisissions pas toujours la fuite. Parfois Victoria nous ordonnait de lâcher une bordée sabords ouverts afin de leur montrer de quoi nous étions capables ! Généralement, quelques boulets suffisaient pour que l'ennemi se retrouve les mâts brisés et son étrave trouée. Ce qui rajoutait encore à la légende de *El Hacon* et de la Reine des Pirates...

— Nous étions vulnérables pourtant, est intervenu William.

Les deux autres l'ont regardé :

— À quoi penses-tu ?

— À Rodriguez. Vous vous souvenez bien de lui ?

Joe et Robert ont fait oui de la tête en levant encore une fois leur timbale. D'un revers de la main ils se sont essuyé la bouche et ont hoché la tête de nouveau.

— Qu'est-ce qu'il avait ce Rodriguez ? ai-je demandé.

— Il était la preuve vivante que même les pirates peuvent être des crapules, a dit Joe en ricanant, et les deux autres ont ri avec lui.

— Je ne me souviens plus trop où c'était, a commencé William.

— Nous avions mis le cap sur la Casa, a dit Joe. J'en suis sûr parce que le navire était chargé à ras d'eau. C'était notre plus beau butin, à part celui de cet autre navire près de La Havane...

— Oui, c'est sans doute l'appât de l'or qui l'a guidé, lui et les trois autres.

— Je ne pense pas que ce soit la seule raison, l'a interrompu William.

— Rodriguez et les trois autres étaient originaires de la même ville, quelque part en Espagne, et Miguel le Rouquin était leur copain. Si vous voulez mon avis, ils n'avaient pas oublié que Victoria avait tué leur camarade et ils cherchaient à le venger.

— Tant d'années plus tard ?

Et voilà qu'ils se disputaient pour savoir quelle était la véritable raison du complot de Rodriguez !

— Vous ne voulez pas plutôt me raconter ce qui s'est passé ? ai-je demandé.

— Et pourquoi on ferait ça ?

Tout d'un coup j'avais devant moi cinq yeux brillant de colère qui me regardaient...

— Parce que la bouteille est presque vide, ai-je répliqué aussitôt, et j'ai pensé que ça vous dirait d'en avoir une autre.

La taverne s'est à nouveau remplie de rires tonitruants... Le tavernier en a même sursauté derrière le bar.

— Ce garçon a de l'avenir, a dit William avec un large sourire.

— Tout le portrait de sa mère !

— Ces quatre Espagnols se sont donc ligués contre Victoria. Personne à bord n'a soupçonné leurs mauvaises intentions, même si nous avions bien remarqué qu'ils se tenaient à l'écart et nous parlaient peu, à nous autres. Puis une nuit, comme il n'y avait que le timonier et quelques gardes sur le pont, ils se sont faufilés à l'arrière où ils sont descendus vers la cabine du capitaine.

« Ils étaient persuadés que Victoria et ton père dormaient et que ça allait être un jeu d'enfant de les tuer. Mais aussitôt la porte ouverte, ils se sont retrouvés face à Victoria – qui ne portait sur elle que son sabre ! Ils n'ont pas eu le temps de profiter de la vue ! Deux d'entre eux ont été abattus sur le champ, et ils sont tombés raides morts sur le pont. Ta mère était une vraie diablesse au sabre ! Les deux autres, dont Rodriguez, le cerveau du complot, se sont tout de suite rendus et, tête basse, ils ont attendu ce qui devait venir : une mort immédiate. Mais ça ne s'est pas passé comme ça ; ils n'ont pas été pendus au grand mât. Certains d'entre nous en ont grogné de mécontentement, ne comprenant pas ce qu'elle avait en tête. Nous étions encore plus surpris quand elle leur a donné un sac d'or – leur part du butin. Ce n'est que deux trois heures plus tard, quand elle les a débarqués sur un petit îlot à quelques jours de mer de Cuba, que nous avons commencé à réaliser ! L'îlot était à peine plus grand qu'un récif, il était totalement dénudé et se faisait régulièrement submerger par les vagues quand le vent soufflait fort... Je revois encore ces deux hommes, deux silhouettes immobiles laissées là sans eau et sans vivres avec comme unique bagage leur sac rempli de pièces d'or. Une seule chose les attendait : une mort lente ! Comme ça ils auront du temps pour réfléchir, c'est ce qu'elle a dit. Et elle a ajouté : « Même si c'est un peu tard pour eux, ça peut servir aux autres... »

« Une vraie dure, ta mère, mon garçon ! Mais au fait, où est cette bouteille dont tu parlais ? On a le gosier bien sec à force de causer... »

## CHAPITRE 7

Dehors, la pluie et le vent redoublaient de violence. On aurait dit que les éléments voulaient rayer la Perla de la carte. Pourtant ça ne m'inquiétait pas tant j'étais absorbé par ce que racontaient ces trois vieux pirates. Rien ne pouvait me plaire davantage que d'entendre des histoires qui parlaient de ma mère. Chaque mot, chaque événement rendait plus nette l'image que je me faisais d'elle. Cette image dont je rêvais depuis toujours.

Quelqu'un soudain a ouvert la porte de la taverne que le vent a fait claquer contre le mur. La silhouette dégoulinante de pluie qui est entrée avait du mal à se tenir debout dans le vent. C'était frère Frantz. J'ai compris qu'il s'inquiétait pour moi et qu'il était venu vérifier qu'il ne m'était rien arrivé.

Il ne s'est pas joint à nous, il m'a seulement vaguement salué de la tête avant de s'installer à une table au fond de la taverne. Peu de temps après, le tavernier est venu lui tenir compagnie et ils ont partagé une bouteille de vin en vieux amis.

— *La gueule du requin !* s'est tout d'un coup exclamé Joe.

Les autres ont grommelé quelque chose, le nez plongé dans leur verre de rhum,

— Là, on a vraiment failli se faire avoir, a-t-il poursuivi. Jamais plus que cette fois *El Hacon* n'a risqué la mort et le naufrage !

Puis, avant de poursuivre, il a vidé et rempli encore une fois sa timbale de rhum...

— On avait attaqué un navire marchand anglais près du Honduras. Et comme on n'avait pas rencontré beaucoup de résistance, il y avait eu très peu de morts. On avait embarqué tout ce qu'on avait pu trouver comme objets de valeur, ainsi que des vivres. Ces derniers étaient particulièrement bienvenus, car on était en mer depuis longtemps. Je crois même que la perspective d'un bon repas nous plaisait plus que l'or ! Si je me souviens bien, Victoria était bizarrement préoccupée ce jour-là. Elle a ordonné à la vigie de monter au grand mât et elle s'est montrée très pressée de s'éloigner du navire en flammes. Il s'est vite avéré que son inquiétude était justifiée. Sur l'horizon, à l'ouest, se découpaient les voiles de trois navires, trois navires de guerre anglais... « Je m'en doutais », a dit Victoria.

« Il faut dire qu'à l'époque dont je parle, *El Hacon* était plus que jamais recherché et pourchassé. Nos raids avaient mis en colère les planteurs et les autorités, et la potence nous attendait avec impatience...

« Victoria a donné l'ordre de hisser les voiles et de tenir les canons prêts à tirer, mais elle a décidé qu'il ne fallait pas courir le risque d'un affrontement direct. Même pour *El Hacon*, se battre contre trois navires ennemis, c'était trop, il fallait donc s'éloigner au plus vite. Hélas, nous avancions mal et nos poursuivants gagnaient rapidement sur nous : notre cargaison était trop lourde et ça faisait bien longtemps qu'on n'avait pas caréné[1].

En le disant, Joe a marqué une pause et m'a regardé de son œil unique.

— Tu ne le sais peut-être pas, petit, mais ici dans les mers chaudes, les algues et le goémon s'attachent vite à la coque et ça freine le bateau. Je revois encore ta mère, inquiète, qui faisait les cent pas sur le pont. Que faire ? La distance était trop grande pour qu'on utilise les canons... On s'est tous regardés et, pour la première fois depuis très longtemps, on a eu peur de ce qui pouvait nous arriver. Nos jours paraissaient comptés et on avait le choix entre la mort au combat et la mort sur la potence. On espérait bien sûr que Victoria nous tirerait de

1. *Caréner* : nettoyer la coque d'un navire.

ce mauvais pas comme tant de fois auparavant, mais on n'y croyait guère.

« À ce moment-là, un des hommes à la proue a poussé un cri d'alerte. On a couru vers le bastingage, regardé l'eau et frissonné à la vue de ce qui nous attendait. Juste en dessous de la surface de l'eau, il y avait toute une longue ceinture de récifs submergés. Des rochers aussi pointus que les dents d'un monstre, prêts à s'attaquer à tous ceux qui oseraient s'approcher et qui n'auraient aucun mal à éventrer la coque en moins de deux ! « *La gueule du requin* », a-t-on chuchoté.

« On en avait tous entendu parler et on connaissait l'histoire de tous les navires qui y avaient sombré...

« C'est alors qu'un des hommes de l'équipage, un Indien du nom de Tamaz, est monté à l'échelle de corde jusqu'à Victoria. C'était un Indien mosquito, une tribu de pêcheurs et de marins qui connaissaient les parages sur le bout des doigts. Il était avec nous depuis des années, toujours au premier rang quand les combats faisaient rage. Il ne nous parlait pas beaucoup et c'était réciproque – à dire vrai il nous effrayait un peu. Il avait tout le corps tatoué, même le visage, il semblait venir d'un autre monde ! Les nuits de clair de lune, il aimait s'asseoir à califourchon sur le beaupré[1], et là, il

1. Mât horizontal à l'avant du navire.

chantait des chansons qu'on ne comprenait pas. En hommage sans doute à des dieux inconnus de nous. Maintenant il parlait avec empressement à Victoria. Elle a hésité, puis elle a hoché la tête avant de lui laisser le gouvernail. Il a aussitôt manœuvré au sud-est. Les bâtiments de guerre anglais étaient maintenant si proches qu'on pouvait distinguer les hommes à bord. Ils ont tenté quelques tirs au canon, mais les boulets ont frappé la mer à bonne distance. Personne à bord ne soufflait mot… On n'entendait plus que le grincement des cordages et le claquement des voiles. Tous les regards étaient rivés sur Tamaz. Un des autres Indiens s'était dépêché vers l'avant du navire, puis il est sorti sur le beaupré d'où il scrutait la mer, et avec des gestes il indiquait les manœuvres à Tamaz. *El Hacon* n'avançait plus maintenant qu'avec de lents mouvements sinueux, tantôt bâbord, tantôt tribord…

« Ainsi, les deux Indiens ont réussi à faire passer *El Hacon* sans encombre même si par moments on n'était qu'à une brasse des récifs menaçants. Ils n'avaient pas hésité un instant et leurs visages impassibles n'avaient pas trahi une seule de leurs pensées.

« Nos regards se sont tournés vers nos poursuivants qui visiblement ignoraient tout des eaux dans lesquelles ils allaient pénétrer. Bien sûr nos manœuvres ne pouvaient pas être passées inaperçues, mais ils ne savaient pas quel danger les guettait sous la surface et ils étaient trop près pour pouvoir contourner le récif. De toute façon, ils ne pouvaient pas réussir le passage ; même avec Tamaz à la barre ça avait été à un cheveu près. Peu de temps après, ils ont heurté le récif toutes voiles hissées, les coques se sont déchirées et trouées, et mâts et voiles sont tombés sur le pont. En l'espace de quelques instants deux des navires ont coulé, et le troisième est resté accroché à *la gueule du requin,* comme si le monstre n'arrivait pas à l'avaler. Sans un mot, et sans esquisser le moindre sourire, Tamaz a rendu la barre au timonier. Mais nous autres, on a jubilé ! À ce moment-là, on s'est vraiment crus invincibles !

« L'histoire de cet événement s'est évidemment propagée à la vitesse du vent dans les Caraïbes ! Les noms de *El Hacon* et de Victoria étaient sur toutes les lèvres, dans les tavernes plus modestes comme dans les demeures les plus belles et les plus somptueuses.

« Ta mère n'a pas beaucoup apprécié. « Les potences sont chargées de noms célèbres », a-t-elle déclaré.

# CHAPITRE 8

— Et puis tu es né ! a dit Joe.

Ils m'ont tous regardé gravement comme si j'avais fait quelque chose de mal.

— Et ta mère n'a plus voulu être notre capitaine.

— On n'était pas contents du tout, a poursuivi William, parce que sous son commandement on se sentait en sécurité. Elle n'était pas seulement rusée comme un renard, elle avait aussi la chance avec elle. Tous les hommes de l'équipage avaient d'ailleurs amassé assez d'argent pour vivre tranquillement jusqu'à la fin de leurs jours – s'ils utilisaient leur bon sens !

— Faut dire que nous, les pirates, on ne fait pas souvent de vieux os, a lancé Robert en ricanant.

— On a bien sûr essayé de la persuader de continuer, mais elle n'a rien voulu savoir. Elle est restée à terre pour vivre à la Casa avec ton père et toi, elle voulait mener la même existence que les autres femmes. Elle a même commencé à s'habiller comme elles ! Combien de fois on t'a vu sur la plage tenant par la main la Reine des Pirates en essayant de faire tes premiers pas ! Est-ce que tu t'en souviens, petit ?

— Non, mais je crois revoir ses yeux.

— Il n'y en a pas de plus beaux dans toutes les Caraïbes, a dit Robert en soupirant.

— Ou il n'y en *avait* pas, ai-je précisé. Il n'est pas sûr qu'elle soit encore en vie.

— On n'a jamais entendu dire le contraire, a répondu Joe.

— Mais alors, pourquoi ne vient-elle pas me voir ? Elle sait pourtant où me trouver.

— Je ne sais pas. Mais il s'est passé quelque chose qui a bouleversé nos vies de pirates. À cette époque, il y avait de plus en plus de flibustiers et on était plus téméraires que jamais. On ravageait toutes les villes portuaires et peu de navires nous échappaient. Les marchands britanniques et les propriétaires des plantations en avaient plus qu'assez, et ils se sont plaints au roi d'Angleterre, George I$^{er}$. Il a aussitôt envoyé une flotte de navires de guerre aux Caraïbes sous le commandement de Woodes Rogers – un homme particulièrement malin qui nous a fait une proposition : la liberté et le pardon si on se rendait pour devenir des citoyens respectables. Et à ceux qui n'acceptaient pas son offre, il promettait une poursuite sans relâche et une pendaison sans pitié. La nouvelle de cette chance de grâce s'est répandue partout dans l'archipel et beaucoup se sont laissé tenter. À la Casa aussi, le sujet a été discuté – la plupart d'entre nous avaient amassé des fortunes considérables et envisageaient d'un bon œil de vivre sans être obligés de se cacher, et sans la continuelle peur qui accompagne un hors-la-loi. D'autres doutaient de la sincérité de l'offre de Woodes Rogers. Ils n'accordaient aucune confiance aux autorités qui, selon eux, ne devaient avoir qu'une envie : se venger des pirates. « Ce n'est qu'une ruse pour mieux nous pendre », répétaient-ils.

« Nos discussions étaient longues et nombreuses. Un jour, Victoria nous a tous rassemblés – toi et ton père vous étiez là aussi. On se demandait bien ce qu'elle avait à nous dire. « Je ne me rendrai jamais, a-t-elle dit. À personne, et surtout pas à nos ennemis, mais j'estime que chaque homme doit faire ce qu'il juge bon. Il faut qu'on se sépare et qu'on quitte la Casa pour de bon. Ceci est surtout valable pour ceux qui veulent continuer leur vie de pirate. » On n'a pas compris pourquoi elle disait ça. « Ceux qui décideront de devenir d'honnêtes citoyens ne seront plus tenus par le serment des pirates. Ils risquent même de se faire un jour attaquer par d'autres pirates et je ne pense pas qu'ils garderont alors le secret de notre village. Ainsi, les navires de guerre ne tarderont pas à faire leur apparition dans la lagune ! C'est dans l'ordre des choses. Chaque choix a son prix. »

« Personne n'a pipé mot pendant un long moment. En silence on réfléchissait tous à ce qu'elle venait de dire. On pensait à ce qu'on avait à gagner et à perdre.

« Personne n'a douté de ce qu'avait dit Victoria Reed et finalement on a fait ce qu'elle avait proposé. On s'est séparés et on a quitté la Casa. *El Hacon* a dû faire plusieurs voyages pour transporter ceux qui avaient choisi de se rendre : ils sont partis en emportant tous leurs biens – même leurs animaux domestiques. Chacun a choisi le port où il voulait débarquer : Porto Rico pour la plupart, et je me souviens bien du moment des adieux.

— Des adieux bizarres, a dit Joe en regardant dans le vide. On était le long du bastingage à les regarder débarquer, ces compagnons avec qui on avait navigué pendant des années. Avec qui on avait combattu et partagé des peines et des joies... Quand ils ont descendu la passerelle l'un derrière l'autre, on ne reconnaissait plus la bande joyeuse et bruyante d'autrefois. À une ou deux reprises, ils se sont retournés pour regarder une dernière fois leur navire, puis ils l'ont salué de la main avant de disparaître dans les rues de la ville.

Joe s'est tu.

— Est-ce que vous savez ce qu'ils sont devenus ?

Ils ont fait non de la tête en fixant la table.

— Non, on n'a jamais eu de leurs nouvelles. Je suppose qu'ils sont devenus ce qu'ils souhaitaient – d'honnêtes citoyens.

— Et vous qui êtes restés sur *El Hacon*, qu'est-ce que vous avez fait ?

— Un dernier périple jusqu'à la Casa, où on a embarqué tout ce qu'on voulait emporter avant de quitter notre village à tout jamais. Ça, ça a été un moment étrange. On avait tous les yeux tournés vers la Casa en quittant la lagune, pour regarder encore une fois la plage et nos cabanes qu'on abandonnait. Dans la forêt, on entendait meugler les vaches qu'on avait libérées – on aurait dit qu'elles nous saluaient. Encore aujourd'hui, il m'arrive de rêver de la Casa et de revoir le village briller dans la lueur de l'aube ou rougeoyer au coucher du soleil... Pour nous, le village c'est comme un conte de fées, et c'est encore le souvenir d'une époque qui nous manque cruellement.

William m'a lancé un regard soupçonneux.

— Tu ne te souviens pas de ça non plus ?

J'ai fait non de la tête. Mon seul souvenir, c'était une paire d'yeux. Les yeux noirs de ma mère.

— Qu'est-ce qui s'est passé ensuite ?

— On a navigué jusqu'à la Perla. D'ailleurs c'est nous, l'équipage de *El Hacon*, qui avons construit la cabane où tu as grandi.

— Et c'est ensuite que ma mère nous a quittés, mon père et moi ?

— En effet. On n'a jamais su quel accord elle avait pu passer avec ton père, mais on avait bien l'impression qu'elle comptait revenir. Elle voulait sans doute goûter la liberté de la mer une dernière fois. Elle venait de passer trois ans à terre avec vous deux, mais elle n'avait cessé de ressentir l'appel du large. À mon avis, elle a essayé de résister tant qu'elle a pu et elle a vécu à terre aussi longtemps que possible.

— Est-ce qu'elle a continué comme pirate ?

— C'était son intention en tout cas. Ce n'est que quand on a pris la mer après vous avoir laissés à la Perla qu'elle nous a dit qu'elle voulait quitter les Caraïbes. La chasse aux pirates était devenue trop intense à son goût. Les risques de se faire prendre augmentaient tout le temps, alors elle voulait mettre le cap sur Madagascar. Cette île était devenue le refuge des « frères de la côte ». Comme les routes maritimes vers l'orient passent juste à côté, là-bas il n'y avait qu'à se servir. On racontait qu'il y avait même une vraie ville de pirates, assez forte pour se défendre contre d'éventuelles attaques et qu'en plus les pirates avaient le soutien des populations locales !

— Alors vous êtes partis là-bas ?

— Elle, oui, et la majeure partie de l'équipage, mais pas nous trois. Nous on a choisi de débarquer à Cuba, l'Afrique ça ne nous attirait pas trop. C'est à La Havane qu'on a vu *El Hacon* et ta mère pour la dernière fois.

Personne n'a plus parlé pendant un moment. Je songeais à tout ce que je venais d'entendre, et soudain j'ai eu le sentiment que quelque chose clochait.

— Mais alors, qu'est-ce que vous faites ici, à la Perla ? ai-je demandé brusquement.

Ils m'ont regardé, étonnés. Grisés par le rhum ils n'arrivaient pas vraiment à cacher que ma question ne leur plaisait pas. Comme si c'était un signal, ils ont tous les trois bu encore une gorgée, se donnant ainsi un peu de temps de réflexion supplémentaire.

— On veut seulement revoir la ville, a marmonné Robert.

— Puis on s'est dit que Victoria était peut-être de retour. Elle nous parlerait de Madagascar et on évoquerait le bon vieux temps...

— Je comprends, ai-je dit sans y croire un seul instant, persuadé que c'était bien autre chose qui les avait attirés à la Perla.

C'est à ce moment-là que j'ai songé au trésor caché près de la cabane ! Voilà sans doute ce qui les intéressait par ici. Ils devaient se dire que ma mère ne nous avait pas laissés sans or. D'ailleurs, ils avaient peut-être vu mon trésor de leurs propres yeux...

Mais je n'ai rien dit, j'ai fait semblant de croire chaque mot qu'ils avaient prononcé.

Un moment après, je me suis levé pour partir.

— On se revoit demain, d'accord ? On a encore quantité d'autres histoires à te raconter au sujet de ta mère.

J'ai répondu en souriant :

— Sûr que je vais revenir.

Frère Frantz s'est levé à son tour quand il m'a vu quitter la taverne. Luttant contre le vent et la pluie, nous avons remonté ensemble le sentier abrupt vers le couvent, sans échanger un seul mot.

# CHAPITRE 9

Le lendemain, le gros temps s'était changé en tempête. La mer était déchaînée et les vagues se fracassaient avec une force inouïe contre le rivage. Arbres et bâtiments se faisaient faucher par les rafales et il était dangereux de s'aventurer dehors.

— Tu as parlé bien longtemps avec ces hommes, a dit frère Frantz tandis qu'après les matines nous étions installés à l'abri, derrière les murs épais de la bibliothèque.

— Ils avaient navigué avec... avec ma mère, et ils m'ont beaucoup parlé d'elle. Mais...

— Mais quoi ?

— Ils ne m'ont pas dit ce que j'aurais voulu entendre, ils n'ont pas répondu à mes vraies questions à son sujet.

— Il n'y aurait bien qu'elle pour y répondre, Victor, ou ton père s'il n'était pas mort. Tout de même, tu as bien dû avoir quelques réponses aux questions qui t'obsèdent ?

— Oui, mais je ne suis pas sûr qu'elles me plaisent !

— C'est souvent comme ça quand on pose des questions, les réponses ne sont pas toujours celles qu'on souhaite.

Il a posé son regard sur moi et a ajouté d'une voix calme.

— Il y a encore autre chose qui te tracasse, n'est-ce pas ?

— Oui, mais ce n'est qu'un soupçon...

Après un moment d'hésitation, je me suis enfin décidé à lui parler du trésor caché près de la cabane. Certes, j'avais maintenant une confiance absolue en frère Frantz, pourtant je ne lui ai pas révélé le lieu exact de la cachette, j'ai simplement dit qu'il y avait un trésor.

— Et tu penses que c'est ça qu'ils cherchent ?

— Sinon pourquoi reviendraient-ils à la Perla après tant d'années ? Il ne se passe jamais rien ici. Ils doivent être à court d'argent, tu as vu toi-même comme ils sont maigres et mal habillés. Tu n'es quand même pas surpris si je pense qu'ils sont venus pour le trésor. Ils ont dû aller à la cabane dans l'espoir de mettre la main dessus, ils ont vu qu'elle était abandonnée, alors ils sont venus jusqu'à la Perla pour avoir des nouvelles de mon père.

— Mais comment savaient-ils que ce trésor existe ?

— Ils ont dû se dire que ma mère ne nous aurait jamais laissés dans le besoin mon père et moi. D'ailleurs, à ce qu'ils m'ont raconté, tout le monde à bord de *El Hacon* avait amassé un beau pactole. Surtout mes parents !

Convaincu, frère Frantz a hoché la tête.

— Qu'est-ce que tu comptes faire maintenant ?

— Je ne sais pas. Ils sont vieux et ne représentent peut-être plus un gros danger...

— Détrompe-toi : à mon avis, ils sont encore suffisamment dangereux ! Ils ont derrière eux une longue vie sous le signe de la mort et de la convoitise. C'est le genre de personnes dont il faut toujours se méfier.

— Qu'est-ce que tu me conseilles ?

— Reste caché ici, au couvent ; on verra combien de temps ils réussiront à patienter.

C'est ce que j'ai fait. La tempête s'est calmée en quelques jours, mais je ne suis pas sorti pour autant des hauts murs du couvent.

Il s'est passé presque une semaine avant que nous revoyions les trois pirates. Le jour où ils sont venus frapper à la grosse porte en chêne, je les ai observés depuis une petite fenêtre. Frère Frantz est allé leur ouvrir. Les trois compères lui ont fait de beaux sourires enjôleurs et j'ai vu mon ami faire non de la tête. Alors les sourires se sont effacés et ils ont formé un demi-cercle menaçant autour de lui. Ils avaient les mains posées sur le pommeau de leurs sabres, mais frère Frantz est resté de marbre. Imperturbable, il leur bloquait le passage. Ils ont fini par faire demi-tour et j'ai vu leurs trois dos furieux descendre le sentier vers la Perla.

— Pour un peu ils pénétraient de force dans le couvent, a expliqué frère Frantz. Mais même les pirates hésitent à contrecarrer le Seigneur.

— Tu leur as dit que je ne voulais pas les voir ?

— Non, j'ai prétendu que tu avais quitté le couvent, que tu étais parti vers Nicossa, dans le sud. Ils ne m'ont pas cru, et une chose est certaine, ils ne sont pas prêts à lâcher prise.

Je ne savais pas que les moines mentaient, ai-je dit d'un ton taquin.

— J'en avais d'abord demandé l'autorisation au Seigneur, a répondu frère Frantz de l'air le plus sérieux. Il m'a dit que puisque c'était moi, pour une fois c'était permis.

Frère Frantz est resté planté là tout un moment à regarder ses pieds, puis il s'est raclé la gorge et a ajouté, gêné :

— Eux ne m'ont pas reconnu. Il faut dire que l'habit fait le moine ! Mais moi, qui les voyais aujourd'hui en pleine lumière, moi je les ai reconnus ! On a navigué ensemble autrefois sur *El Hacon* et on a habité ensemble à la Casa.

Je l'ai regardé bouche bée.

— Alors tu as navigué avec ma mère ?

— Non, c'était avant son commandement ; à mon époque, le capitaine c'était Little Joe – et puis un jour j'en ai eu assez.

— Qu'est-ce que tu veux dire ?

— J'en ai eu assez de tous ces morts, de toute cette violence et de la soif de l'or. J'ai compris que ce n'était pas une vie pour moi, et c'est une des raisons qui m'ont fait me réfugier ici dans ce couvent. Mais je te parlerai de ça une autre fois. Revenons à nos pirates : je te répète que ces hommes sont à prendre au sérieux. Sous leurs airs vieux et usés, ils sont extrêmement dangereux ; surtout s'ils sentent l'odeur de l'or...

Une nouvelle semaine s'est écoulée sans qu'on revoie les pirates, mais ni frère Frantz ni moi ne croyions qu'ils avaient abandonné. Ils devaient surveiller le couvent, cachés quelque part, en attendant une occasion de m'attaquer.

Un matin, frère Frantz est remonté du village avec la nouvelle de leur départ. Les trois pirates avaient quitté la Perla à l'aube. Dans une petite embarcation, ils avaient mis le cap au sud alors que la cabane se trouvait au nord...

— Crois-tu qu'ils sont partis à Nicossa ? ai-je demandé. Ils pensent peut-être pouvoir me retrouver là-bas ?

— Peut-être...

Mais le doute se lisait sur son visage.

— C'est probablement ce qu'ils espèrent nous faire croire. D'ailleurs, qu'est-ce qu'ils vont faire ensuite, puisqu'ils ne t'y trouveront pas ? Ça m'étonnerait qu'ils abandonnent ! Ce n'est pas leur genre. Est-ce que ce coffre dont tu parles contient beaucoup d'or ?

— Oui, c'est un grand coffre rempli à ras bord.

— Alors tu ne seras jamais en sécurité. C'est le diable qui a inventé l'or !

Encore un mois s'est passé et comme je n'étais pas retourné à la cabane depuis longtemps, j'ai décidé de m'y rendre.

Je n'ai rien dit à frère Franz, je savais qu'il me l'aurait déconseillé. Il n'arrêtait pas de me dire que ces trois pirates n'étaient pas prêts à abandonner. Mais j'avais envie de revoir la cabane, j'avais envie de me replonger dans les souvenirs qui y étaient attachés, de retrouver les souvenirs de mon père et de Mazha.

Un jour, j'ai donc cédé à la tentation et j'ai quitté le couvent avant l'aube. J'ai couru à travers les ruelles désertes jusqu'à la mer. Quelque part au nord un coq chantait pour dire que le jour se levait, et quelques instants plus tard un autre coq du village lui a donné la réplique.

Le vent n'a pas tardé à gonfler la petite voile latine[1] et je quittais la Perla juste comme l'aube enflammait la mer. Le bateau fendait les vagues à belle allure et j'étais tout joyeux à l'idée de revoir ce qui restait de la cabane.

Je lançais régulièrement des coups d'œil en arrière, car j'éprouvais tout le temps la crainte de voir poindre une voile à l'horizon et d'être poursuivi par les pirates. Mais je ne voyais que le ciel et la mer et, de temps à autre, un dauphin qui brisait la surface de l'eau pour voler un instant, libéré des vagues, son beau corps fuselé brillant au soleil !

Tard dans la journée, notre petite plage est enfin apparue à tribord. J'ai eu peur un instant d'y découvrir aussi le bateau des pirates, mais je n'ai vu personne – au moins au début. Ce n'est qu'en m'approchant davantage que j'ai remarqué un gros tas de feuilles de palmier sur la plage. Il n'était pas là la dernière fois, et il était bien trop régulier pour n'être que l'œuvre du vent... Tout d'un coup j'ai compris : ces feuilles de palmier dissimulaient quelque chose ! Aussi vite que possible, j'ai manœuvré pour éloigner le bateau de la plage, mais c'était déjà trop tard.

1. Petite voile triangulaire.

Trois silhouettes étaient apparues derrière les ruines de la cabane...

Les pirates ont couru vers la plage et ont rapidement ôté les branches pour dégager leur bateau. J'étais si près que je les entendais parler en le mettant à l'eau.

Leur voilure était nettement meilleure que la mienne et j'ai compris qu'ils allaient me rattraper. Et une fois ma vie entre leurs mains, je pourrais m'attendre au pire ! Ils ne me tueraient pas – du moins pas tout de suite. D'abord ils me tortureraient pour que je leur indique la cachette du trésor. Mais ensuite par contre ils m'achèveraient, car je me souvenais de ce que disait souvent mon père : « Un mort ne témoigne pas. »

Un instant, j'ai songé à mettre le cap au sud et un miracle aidant j'aurais peut-être pu atteindre la Perla avant eux. Mais les miracles n'arrivent pas souvent quand on en a le plus besoin, et brusquement il m'est venu une idée. J'ai repensé à l'histoire que mes trois poursuivants m'avaient racontée au sujet de *la gueule du requin* et des navires anglais. Je connaissais un endroit semblable ! Pas aussi grand ni aussi dangereux, mais suffisamment périlleux quand même. Mon père et moi l'avions découvert au cours d'une partie de pêche et nous avions failli nous y échouer plusieurs fois.

J'ai mis le cap au large. Le vent gonflait la petite voile, mais c'était loin de suffire. Le bateau des pirates s'approchait de minute en minute. À présent, je pouvais distinguer clairement leurs visages. Des figures amaigries et barbues qui ne ressemblaient plus du tout aux visages débonnaires de la taverne ! Ils arboraient l'expression des chasseurs qui savent que leur proie ne peut plus leur échapper !

Le récif submergé était maintenant tout près. On pouvait le deviner à un léger remous sur la surface de l'eau, qui dissimulait des rochers pointus séparés d'un mètre à peine. Quand je me suis aventuré dans cet étroit goulet, mes poursuivants étaient juste derrière moi... J'ai retenu mon souffle lorsque mon bateau est passé de justesse entre les récifs et que j'ai entendu la coque frotter contre la pierre, côté bâbord – mais ouf ! quelques instants après j'étais de l'autre côté.

Mon cœur battant la chamade, je me suis retourné, espérant très fort qu'ils n'allaient pas découvrir le récif et changer de cap au dernier moment.

Mais ils n'ont rien vu et, en quelques secondes, leur bateau s'est retrouvé coincé entre les rochers. J'ai entendu un bruit de bois qui se fracassait, puis une bordée de jurons.

Alors j'ai changé de cap pour me diriger de nouveau vers la cabane. En route, j'ai regardé plusieurs fois en arrière pour voir ce qu'il advenait de mes trois poursuivants.

La dernière chose que j'ai vue, c'était leurs têtes qui dépassaient à peine des vagues tandis qu'ils s'agrippaient aux récifs. Je savais que ce n'était plus qu'une question de minutes, la côte était trop loin pour qu'ils puissent l'atteindre à la nage et en plus le vent se levait. Les vagues seraient bientôt hautes et le monde compterait trois pirates de moins...

Il faisait noir quand mon bateau a touché le sable de la plage. Dans le clair de lune, j'apercevais le foyer et la cheminée. Après avoir allumé une torche j'ai avancé dans la forêt. Non pas parce que je croyais qu'ils avaient pillé le trésor, mais parce que j'éprouvais tout de même le besoin de m'assurer qu'il était toujours intact dans l'entaille du rocher.

Pas d'inquiétude à avoir. J'ai ouvert le coffre et vu les pièces d'or briller dans la lumière de la torche. Combien de vies avaient été perdues à cause d'elles ? Combien allaient-elles encore en coûter ?

Je suis retourné à la Perla le soir même. Le ciel étoilé scintillait au-dessus de la barque et on était à la veille de la pleine lune. Ma tête bourdonnait de pensées dont certaines me faisaient peur.

À cause de moi, trois hommes avaient péri. Je les avais consciemment envoyés vers une mort certaine. Pourtant je n'avais pas de regrets, et c'est bien ce qui m'effrayait le plus.

À l'aube, j'étais arrivé au village et dans les ombres des hangars j'ai vu apparaître une silhouette.

C'était frère Frantz – il avait passé toute la nuit éveillé, inquiet à mon sujet.

— Les as-tu vus ?

— Non, ai-je menti.

Il était difficile d'admettre que j'étais responsable de la mort de trois personnes, même si je crois qu'il m'aurait compris et pardonné. Je ne sais pas vraiment pourquoi j'ai menti. Peut-être pour qu'il garde intacte l'image que j'espérais qu'il avait de moi ? Ou peut-être pour lui éviter de s'inquiéter pour moi ? Car c'était dans sa nature de vraiment se mettre à la place des autres et de ressentir leurs problèmes comme les siens.

À moins que ce ne soit encore pour une autre raison, une chose en moi que je n'avais pas encore vraiment comprise jusque-là ? C'était peut-être le prix que j'avais à payer pour être le fils de la Reine des Pirates...

## CHAPITRE 10

J'écris ces lignes dans la ville de La Havane à Cuba. Je n'habite plus le couvent de la Perla. Maintenant, je passe le plus clair de mon temps à voyager. Je visite des villes et des ports dans le monde entier, poussé par le désir, ou plutôt par le besoin d'en savoir davantage sur ma mère. Je garde l'espoir de la rencontrer si le destin le veut. Dans les tavernes des ports, je parle aux gens de la mer, mais je ne dis jamais qui je suis, ni qui est ma mère. C'est une leçon que j'ai apprise des trois pirates de la Perla !

Beaucoup de ceux que je rencontre ont entendu parler de Victoria Reed. Certains racontent des histoires sur *El Hacon* et la Reine des Pirates. Des histoires plus fabuleuses les unes que les autres – comme c'est souvent le cas avec les légendes. Mais je n'ai encore rencontré personne qui sache vraiment où je pourrais la trouver.

— Elle navigue sur les mers, disent les uns.

Et si je réponds qu'elle est peut-être morte :

— Non, pas elle ! Pas la Reine des Pirates !

— Madagascar ! disent certains qui ne sont peut-être pas loin de la vérité.

— À ce que j'ai entendu, elle est partie dans ce coin-là... disent-ils.

— Où l'as-tu entendu dire ?

Ils ne s'en souviennent jamais précisément : dans un bistrot, dans un port quelque part...

Je songe de plus en plus à cette grande île près de l'Afrique. Peut-être est-ce là-bas que je dois aller pour la retrouver ? Pourtant quelque chose me retient. Est-ce la peur de la vérité ? La peur de trouver la réponse finale : Victoria Reed n'est plus de ce monde ? La peur de découvrir que seule sa légende vit ? Je préfère peut-être vivre dans l'espoir qu'elle est toujours libre et forte et qu'elle va continuer à naviguer sur les mers jusqu'à la fin des temps ?

J'arrive du port où je me suis inscrit pour embarquer sur un bateau en partance pour Hispaniola dans quelques jours. Comme d'habitude, j'irai faire un tour au couvent, voir frère Frantz. Je pense souvent à lui, et il me manque quand je m'absente trop longtemps. Il est mon meilleur ami, mon unique ami...

Je lui ai proposé une partie du trésor, mais il a refusé.

— Je n'ose pas accepter parce que je connais trop bien le pouvoir de l'or, je sais ce qu'il fait faire aux hommes. Si j'accepte, je ne pourrai plus être le Frantz que je souhaite être.

— Tu n'aimerais pas retourner en Espagne pour y passer tes vieux jours ? Revoir l'endroit qui t'a vu naître et grandir ? Dire bonjour à ceux que tu as laissés ?

— Ils sont tous morts, a-t-il répondu en souriant. Mais pour moi ils sont aussi vivants ici, au couvent, qu'ailleurs. Non, le seul endroit où je me rendrai le moment venu, c'est dans le jardin aux plantes aromatiques. J'y retrouverai peut-être le vieux frère Michael. Qui sait ? Peut-être pourrons-nous nous parler ? Et nous poser toutes les questions auxquelles nous n'avons pas encore de réponse en attendant que la grande résurrection nous amène vers des salles inondées de lumière ?

Il ne coule en effet plus beaucoup de sang de pirate dans les veines de frère Frantz !

J'ai hâte aussi de retourner sur la petite plage près des ruines de la cabane. J'irai alors dans la forêt jusqu'à l'entaille du rocher. Dans le coffre, j'ai laissé une lettre pour ma mère où je lui raconte ce qui m'est arrivé dans la vie et où je lui dis aussi combien elle me manque... et que je passe ma vie à la rechercher.

Et comme à chaque fois que j'y vais, j'espère de tout mon cœur que la lettre ne sera plus là. Qu'elle sera venue la chercher et qu'elle m'aura laissé une réponse. Une réponse juste pour moi, son fils, le fils de la Reine des Pirates...

## Thore Hansen

L'auteur est né en 1942. Dès sa plus tendre enfance, il se passionne pour le dessin. Il devient marin pour gagner sa vie et rembourser les dettes contractées pendant ses études. Il navigue sur les sept mers pendant trois ans, surtout en Amérique du Sud, à Cuba et Mexico. De retour chez lui, il est admis à l'académie des beaux-arts de Copenhague. Au milieu des années soixante, il travaille pour un célèbre magazine norvégien et réalise des illustrations et des bandes dessinées, mais aussi des textes pour accompagner ses dessins. Il travaille également en tant que scénographe pour de nombreux théâtres. En 1975, il publie son premier recueil de nouvelles. Depuis, il est un auteur et un illustrateur très prolifique. Il publie essentiellement pour la jeunesse mais aussi pour les adultes.

Il a reçu de nombreux prix pour son travail d'illustrateur et d'auteur.

## Ellen Huse-Foucher

La traductrice est née en Norvège, mais vit désormais en Vendée avec son mari français et leur fille. « Les langues étrangères m'ont toujours attirée, dit-elle. J'aime jouer avec les mots, à la recherche du terme juste. J'ai traduit une vingtaine de livres, surtout pour les lecteurs norvégiens. La traduction est pour moi un plaisir, particulièrement quand je peux faire découvrir un auteur norvégien aux jeunes Français. »

## François Roca

L'illustrateur de la couverture est né à Lyon en 1971. Il poursuit des études artistiques à Paris à l'École nationale des Arts appliqués Olivier de Serres, puis à Lyon, à l'École Emile Cohl. Sorti en 1993, sa passion pour la peinture le conduit d'abord à exposer des portraits à l'huile. En 1996, il commence à réaliser des illustrations pour la jeunesse. Il illustre, le plus souvent en peinture, de nombreux albums avec l'auteur Fred Bernard qui reçoivent régulièrement des prix. Le succès rencontré les encourage à continuer dans cette voie, chez Albin Michel ou au Seuil. François Roca a illustré plus d'une vingtaine d'ouvrages. Il collabore régulièrement au magazine Télérama. Il vit et travaille à Paris.

# Table des matières

# ROMANS

Tout un monde de lecture
entre les mains.

TITRES DÉJÀ PARUS

Flammarion jeunesse

**L'île au trésor**

Robert Louis Stevenson

Jim Hawkins, jeune garçon courageux, s'embarque sur un navire à la recherche d'un trésor enfoui sur une île déserte. Il se trouve alors aux prises avec des pirates patibulaires, dont un certain Long John Silver doté d'une jambe de bois. Cette aventure incroyable nous plonge dans un monde de pirates sanguinaires, plus vrais que nature, qui s'entredéchirent sur une île brûlée par le soleil. L'affrontement sera sans merci...

*« En admettant que j'aie ici dans ma poche un indice capable de nous guider vers le lieu où Flint a enterré son trésor, croyez-vous que ce trésor serait considérable ? »*

## Le diable dans l'île
Christian de Montella

1604. Un navire espagnol accoste une île des Terres australes. Fils du commandant, Diego refuse la barbarie de cette conquête : il combat... mais du côté des indigènes. Avec eux, il découvre une nouvelle vie, heureuse. Jusqu'au jour où des incidents sèment la panique : un esprit diabolique rôde dans l'île ! Les habitants soupçonnent Diego...

*« J'étais dans une colère qui valait bien celle de leur yarimu, de leur diable. Autour de moi, alors que l'incendie rougeoyait, s'asphyxiait, faute de combustible, on chuchotait. On chuchotait que, de mémoire d'homme, aucune habitation n'avait jamais pris feu de la sorte. »*

Flammarion jeunesse

Mise en page par Meta-systems
59100 Roubaix

Imprimé à Barcelone par:

N° édition : L.01EJEN000691.N001
Dépôt légal : août 2011
Loi n° 49-956 du 16 juillet 1949
sur les publications destinées à la jeunesse